# CHRONIQUES DU MARAIS QUI PUE

Dans la même série

*La Chasse à l'ogre*
*L'Abominable docteur Câlinou*

Titre original : *Muddle Earth*
Book two : *Here be Dragons*

First published in United Kingdom
by Macmillan Children's books, London

Pour l'édition française :

Loi 49-956 du 16 juillet 1949 sur les publications
destinées à la jeunesse
ISBN : 2-7459-1790-0
www.editionsmilan.com

PAUL STEWART • CHRIS RIDDELL

# CHRONIQUES DU MARAIS QUI PUE

ÉPISODE 2

# La grotte du dragon

MILAN

LÀ Y A DES DRAGONS
NULLE PART
ET ENCORE LÀ
ET LÀ AUSSI
ET LÀ AUSSI
LE MONT BOUM
LE CHÂTEAU DU BARON CORNU
LES MONTAGNES MOISIES
LE LAC ENCHANTÉ
LA CLAIRIÈRE GLOUSSANTE
LE BOIS DES ELFES
LE MARA

GOBELINVILLE

LÀ Y A PAS UN SEUL DRAGON

LA COLLINE SANS DANGER

LE BAC À SABLE

LE PONT DES TROLLS

LA RIVIÈRE ENCHANTÉE

LA MARE ODORANTE

…QUI PUE

LES MONTAGNES AUX OGRES

Nom : Jean-Michel Chanourdi
Activité : écolier
Passe-temps favoris : foot, télévision, disputes avec sa sœur
Plat préféré : tout sauf ce qui est préparé par Norbert

Nom : Randalf le Sage, maître enchanteur du Marais qui pue
Activité : euh… maître enchanteur du Marais qui pue
Passe-temps favori : jeter des sorts (vous appelez ça jeter des sorts ! signé : Véronica)
Plat préféré : frites de têtards écrasés, façon Norbert

Nom : Henri
Activité : chien de Jean-Michel
Passe-temps favoris : promenades, chasse à l'écureuil, reniflage du derrière des gens qu'il ne connaît pas
Plat préféré : nourriture pour chien (évidemment !)

Nom : Norbert le Pas-si-grand
Activité : ogre
Passe-temps favoris : sucer son pouce, cuisiner (surtout décorer des gâteaux)
Plat préféré : tout et n'importe quoi de préférence

Nom : Véronica
Activité : animal de compagnie de Randalf le Sage
Passe-temps favori : sarcasme
Plat préféré : n'importe quoi, du moment que ce n'est pas préparé par Norbert

Nom : baron Cornu
Activité : gouverneur du Marais qui pue et mari d'Ingrid
Passe-temps favoris : gouverner et obéir à Ingrid
Plat préféré : chocolat chaud aux crachats

Nom : docteur Câlinou (chut ! ne prononcez pas son nom à voix haute)
Activité : (chut ! personne ne doit se douter de son existence)
Passe-temps favoris : (vous n'avez pas entendu ce que je viens de dire ?!)
Plat préféré : gâteau Grobisou

*Pour Anna et Jack*

# Prologue

Le marais était plongé dans l'obscurité. Tout était immobile. Les trois lunes, la violette, la jaune et la verte, brillaient dans le ciel sans nuage. Elles diffusaient leur lumière, comme des spots de couleur, éclairant les arbres et le Lac enchanté. Ce dernier flottait dans les airs et se déversait en cascade dans la rivière. Les lunes faisaient également scintiller une armée de couteaux, fourchettes et autres louches, alignée à l'entrée d'une grande caverne.

Toutes sortes de couteaux – à dents, à beurre, à viande, et même des hachoirs – étaient disposés par ordre de taille sur la gauche. À droite, se tenaient les cuillers : cuillers de bébés, cuillers à soupe, cuillers à glace, cuillers à thé ou à café. Entre les deux, on trouvait tout le reste : fourchettes, fouets, spatules, râpes, brochettes, tranche-œuf, presse-ail, casse-noix...

Ils attendaient. Mais quoi ? Eux-mêmes ne le savaient pas. Une rumeur prétendait qu'une cuiller à café manquait à l'appel et que l'opération ne pourrait commencer sans elle. Mais l'agitation gagnait les rangs ; les fourchettes sautillaient, les cuillers se bousculaient, les couteaux à viande – qu'on évitait en général d'agacer – donnaient des coups à droite, à gauche et cherchaient la bagarre – sauf avec les hachoirs, bien entendu –, le tranche-œuf se balançait impatiemment.

Quand est-ce que ça allait commencer ?

À un moment, une pince à sucre se fraya un passage et grimpa sur un caillou – qui était pour elle un véritable rocher. Les trois lunes lui donnaient un aspect gai et coloré. Elle frappa trois coups sur son caillou sans que personne, sauf le tranche-œuf, ne la remarque. Elle frappa encore. Plus fort, cette fois.

Deux cuillers chuchotèrent : « Chut. » Un groupe de couteaux à fromage coupèrent net leur conversation et se tournèrent vers la pince à sucre.

Un par un, les couverts firent silence. Au bout de quelques minutes, on aurait pu entendre un cure-dent éternuer.

D'ailleurs, un cure-dent éternua et tout le monde l'entendit. Il se redressa en s'excusant.

La pince à sucre frappa sur le caillou une nouvelle fois et leva une de ses pinces en l'air comme une baguette de chef d'orchestre. Quand elle fut enfin certaine que tous lui prêtaient attention, elle donna le rythme.

Les couverts s'y mirent aussitôt et, bientôt, un cliquetis régulier et mélodieux se fit entendre, cliquetis qui monta crescendo.

Au moment où la musique allait atteindre son apogée, un autre son s'y mêla. Un son sourd et grave qui fit trembler la terre. Il venait de l'entrée de la caverne.

La pince à sucre encouragea les couverts à jouer plus fort.

Une volute de fumée, colorée par les lunes, s'échappa de la caverne. Elle sinua, s'envola et s'évanouit. Mais une nouvelle volute la suivit. Le grondement se fit plus fort.

L'opération allait commencer.

Le ciel s'éclaircit. Les lunes se couchèrent et le soleil se leva sur le Marais qui pue. Au château du baron Cornu, le baron Cornu lui-même faisait les cent pas dans sa grande salle de réception en marmonnant dans sa moustache. Il descendit l'escalier et se rendit dans son jardin.

– Où est-elle… Où peut-elle bien être ? Si je… Ouch ! qu'est-ce que c'est ?

– C'est moi, messire, répondit une petite voix. Benson.

Le baron regarda à ses pieds. Un gobelin affublé d'un nez énorme – un des jardiniers du château – était étalé sur le sol. Il venait de foncer dans le baron.

– Eh bien, Benson, faites un peu attention où vous allez !

Le gobelin se redressa et épousseta ses habits.

– Pardonnez-moi, messire. Je donnais la dernière touche à l'organisation…

Le baron jeta un coup d'œil sceptique autour de lui : les tables n'étaient pas dressées, les tentes pas montées et des gobelins couraient dans tous les sens en se cognant les uns dans les autres. C'était le chaos. Pour une dernière touche…

Il tira la manche de Benson.

– Peu importe. Benson, l'avez-vous vue ?

– Qui ? demanda Benson.

– Pas « qui », crétin ! s'énerva le baron. Quoi ! La pince à sucre de la baronne !

Le jardinier secoua lentement la tête.

– Non, messire, vous m'en voyez navré.

Le baron soupira.

– Elle a dû disparaître avec les autres, reprit le jardinier.

– Les autres ? Quelles autres ? rugit le baron.

– Tous les couverts. Je n'en trouve aucun. Il n'y a plus un couteau dans tout le château, plus une cuiller... plus même un cure-dent.

Le baron pâlit.

– Vous n'êtes pas en train de me dire que...

Il s'étrangla.

– Ils n'ont quand même pas... reste-t-il au moins des couteaux à beurre ? Dites-moi qu'il reste des couteaux à beurre !

– Non.

– Des cuillers à dessert ?

– Pas une seule.

– Et des...

– Il n'y a plus rien, messire. Plus un couteau, plus une fourchette, plus la moindre louche. Plus rien. Tout a disparu sans laisser de trace.

– Mais c'est un complot ! tonna le baron.

Il se tut un instant.

– Que va dire Ingrid ? Elle est déjà dans tous ses états à cause de la pince à sucre ! « Je ne peux donner une fête sans pince à sucre ! » C'est mot pour mot ce qu'elle pleurnichait tout à l'heure. Comment va-t-elle réagir en découvrant que tous les couverts ont disparu ?

À cet instant, un craquement se fit entendre derrière eux. Benson et le baron se retournèrent. Deux gobelins venaient d'entrer violemment en collision.

– Désolé, dit l'un d'eux en se frottant la tête.

– C'est entièrement ma faute, répondit l'autre, je ne regardais pas où j'allais.

Autour d'eux, s'étalaient des crayons, des brindilles et des cartes. Le baron se pencha et ramassa un crayon.

– Qu'est-ce que c'est que ça ? demanda-t-il.

– Un crayon, messire, répondit un des gobelins.

– Je vois que c'est un crayon ! jappa le baron. Je veux savoir ce que ça fait ici !

– C'est une idée de la cuisinière, expliqua l'autre gobelin. Elle utilise une épée pour couper le pain et une règle pour étaler le beurre. Les crayons, c'est pour mélanger le sucre dans le thé.

Le baron grogna.

Benson ramassa une brindille taillée.

– Ça c'est mon idée à moi, déclara-t-il fièrement.

Le baron n'eut pas l'air impressionné.

– C'est une pique à sucre ! expliqua Benson. Les pinces sont totalement démodées. Avec une pique comme celle-ci, on peut...

Le baron se prit la tête dans les mains.

– C'est une catastrophe, gémit-il. Une calamité ! Ingrid va être furieuse. Elle ne voudra plus jamais m'adresser la parole.

Il s'arrêta et réfléchit.

– Quoique, finalement, c'est peut-être une bonne nouvelle...

Il vit une carte à jouer à ses pieds. Il la ramassa.

– Et ça, c'est pour quoi faire ?

– C'est une carte à jouer, répondit un des gobelins.

– C'est pour... ajouta l'autre, pour... jouer aux cartes !

Le visage du baron devint rose, puis rouge, et enfin écarlate. Benson intervint, de peur que son employeur n'explose.

– Des jeux ont été prévus dans les tentes, se hâta-t-il d'expliquer en montrant un chapiteau vert, coincé entre deux stands.

– Pour vos jeunes invités, continua-t-il. J'ai pensé à toutes sortes de passe-temps amusants : « la queue du cochonnet rose puant », « la chasse à la grenouille péteuse », « les vers de terre à musique », « la crêpe volante »...

– Très bien, très bien, l'interrompit le baron. C'est parfait !

Il tourna les talons.

– Je dois informer Ingrid. Elle ne va pas aimer ça du tout... Ouch ! Ah non, pas encore !

Un individu venait de lui foncer dessus.

– Vous ne pouvez pas regarder où vous allez ! grogna le baron.

– Désolé, désolé, s'excusa une voix étouffée.

Le baron regarda la grande silhouette encapuchonnée.

– Je ne vous avais pas vu, messire baron. Vous devriez faire attention avec cette brindille taillée si pointue, vous pourriez blesser quelqu'un...

L'individu portait un gros sac qu'il fit passer de son bras droit à son bras gauche.

– Où voulez-vous que je le mette ? demanda-t-il.

– De quoi parlez-vous ? s'énerva le baron.

– De ça, répondit l'étranger en désignant son fardeau.

Du sac ouvert, sortaient des piquets, des crochets et de la toile lilas et rose fluo.

– Qu'est-ce que c'est ? s'enquit le baron. Je vous en supplie, dites-moi que ce sont des couverts !

L'homme à la capuche ricana.

– Des couverts ! Pfff ! vous n'y êtes pas du tout, c'est le chapiteau rose pétale de la Délicatesse.

– Ah. Évidemment. Suis-je bête ! lâcha le baron d'une voix morne. J'ai besoin d'une pince à sucre, de couteaux, de fourchettes, de cuillers, et vous, vous apportez le chapiteau rose pétale de la Délicatesse !

– Exactement, messire, confirma l'homme. Il est indispensable dans ce genre de réception ! Croyez-moi, la baronne va adorer !

– J'espère, dit le baron, j'espère. Vous n'avez qu'à le poser là.

– Walter !

Le baron pâlit et leva les yeux vers la fenêtre de la chambre de la baronne.

– J'arrive, ma tortue en sucre, lança-t-il. Je viens de recevoir quelque chose qui va te rendre très, très heureuse.

Sans s'en rendre compte, il brisa la brindille taillée entre ses doigts.

– T'as plutôt intérêt, repartit Ingrid, menaçante. Rappelle-toi ce qui s'est passé la dernière fois que tu n'as pas réussi à me rendre heureuse, Walter !

Le baron se passa doucement les mains sur les oreilles en grimaçant.

– Comment pourrais-je oublier ? Comment pourrais-je jamais oublier ? murmura-t-il.

Tout était calme du côté du pont des Trolls. Le seul truc, c'était que, comme d'habitude, ça sentait mauvais. La grande consommation de betteraves des trolls avait des effets digestifs déplorables. Qui se révélaient en général pendant leur sommeil.

Les chauves-souris à plumes, perchées non loin de là, ouvrirent les yeux, dérangées par l'odeur. À la faveur d'une brise inopportune, un lapin arboricole eut droit à une bouffée nauséabonde qui le fit dégringoler de son arbre.

Assis sur un tabouret, devant un immense tas de détritus, les coudes sur les genoux et le menton dans les mains, le gardien du pont gardait le pont. Enfin presque. Il dormait, en fait. C'était un individu imposant, aux cheveux ébouriffés et aux dents inférieures qui lui sortaient de la bouche. Son casque était de travers et une betterave grignotée était posée sur ses genoux.

Pppffffiiip.

Sa poche arrière s'agita. Comme si quelque chose cherchait à en sortir.

Sans se réveiller, le troll ronflota et se frotta l'arrière-train. Le mouvement dans sa poche s'intensifia et un objet argenté en émergea. C'était une cuiller.

Une chauve-souris à plumes passa dans le ciel en criant : « Ouille ! »

La cuiller se dandina et tomba dans un minuscule cliquetis. Elle soupira, se redressa et soupira encore.

Les premiers rayons du soleil la firent scintiller alors qu'elle se frayait un chemin dans le tas d'ordures. Elle escalada une cannette rouillée et une assiette en carton, traversa quelques coques de noix avant d'atteindre, enfin, la route poussiéreuse.

Elle entendait l'appel.

Jean-Michel Chanourdi fut réveillé en sursaut par un fracas. Il tendit l'oreille, mais garda les yeux soigneusement fermés.

Il percevait le tic-tac d'une horloge ou d'un réveil. Des assiettes et des bols qui s'entrechoquaient. Une chanson fredonnée...

Son cœur battit plus fort dans sa poitrine. Était-il dans sa chambre ? Sa mère était-elle en train de préparer le petit déjeuner, son père chantait-il sous la douche ?

Allait-il oser ouvrir les yeux pour vérifier ?

Il souleva les paupières tout doucement. La pièce était sombre... Oui, il était à la maison ! Il avait fait le rêve le plus étrange de toute sa vie.

Ses yeux s'accoutumaient à la pénombre et... Non ! Il n'était pas chez lui. Il était allongé dans un hamac, sur un bateau qui flottait sur un lac volant ! Ce qui restait de son armure de super-guerrier – une queue de casserole, une cape en toile de jute et une botte en caoutchouc – gisait à ses pieds.

– Bon sang de bois ! s'écria-t-il en s'asseyant dans le hamac. Je suis toujours au Marais qui pue !

– Bonjour à toi aussi, lui répondit Véronica.

La perruche était perchée sur les cordes tressées de son hamac. Elle était trempée et ébouriffée.

– Je suis désolé, s'excusa Jean-Michel. J'espérais juste…

Ses yeux s'embuèrent.

– … Que j'avais rêvé.

Véronica hocha la tête, compréhensive.

– Ah, les rêves ! Moi aussi, je rêve. D'une jolie petite cage. Rien de luxueux : je me contenterais d'un petit miroir, quelques graines de tournesol et une clochette à agiter quand je m'ennuie ! Mais je suis obligée de partager mon habitation avec ce Randalf le soi-disant Sage, soi-disant magicien, Randalf le radin, oui ! Un petit miroir, ce n'est quand même pas la mer à boire !

La porte s'ouvrit sur un homme rondouillard aux cheveux blancs. Il tenait un chapeau pointu à la main. C'était justement Randalf le Sage. Henri, le chien de Jean-Michel, trottinait à ses côtés, les poils dégoulinants d'eau. Quand il aperçut Jean-Michel, il sauta dans le hamac pour donner de grands coups de langue à son maître.

– Bonjour, Jean-Michel, salua Randalf. Je viens d'emmener Henri à sa baignade matinale.

Il se frotta la bedaine.

– Rien de tel qu'un petit plongeon pour vous ouvrir l'appétit !

– La prochaine fois, prévenez-moi avant de sauter, râla Véronica.

– Ah, Véronica, dit Randalf, tu es là. Pardonne-moi, au moment de plonger, j'ai oublié que tu étais perchée sur ma tête.

– Ça n'arriverait pas si j'avais une jolie petite cage, comme une perruche normale. Avec un petit miroir et une clochette à agiter quand je m'ennuierais…

– Tu ne vas pas recommencer avec ça, l'interrompit Randalf. Je te l'ai déjà dit : les cages, c'est pour les canaris ! Ta place est là où je peux garder un œil sur toi !

Il se tapota le haut du crâne. Véronica s'envola et se posa à l'endroit que Randalf venait de lui indiquer.

– Les rêves ! soupira-t-elle.

Craaaccc !

C'était le même bruit que celui qui avait éveillé Jean-Michel. Encore plus fort cette fois. Puis la porte s'ouvrit violemment. Un ogre, très grand avec un gros nez, fit son apparition, une poêle à la main.

– Norbert ! cria Randalf. Qu'est-ce que tu fabriques ?

Jean-Michel vit une silhouette se faufiler sur le plancher, Norbert abattit sa poêle, ratant l'elfe de deux millimètres. Le bateau tangua.

– Et ne mets plus les pieds dans ma cuisine ! grogna Norbert.

L'elfe s'arrêta, prit son élan et passa à toute vitesse entre les jambes de Norbert. L'ogre se pencha en avant pour le voir, il se pencha si bien qu'il tomba la tête la première !

Le bateau tangua de nouveau, plus violemment.

– Attention, Norbert, se plaignit

Randalf. Tu ne voudrais pas faire chavirer notre habitation !

– Ce ne serait pas la première fois, ajouta Véronica, sarcastique.

– Pardon, maître, s'excusa l'ogre en se relevant.

L'elfe courut vers l'horloge accrochée au mur.

– Il est matin et demi ! hurla-t-il, avant de disparaître derrière deux petites portes.

– C'est l'heure du petit déjeuner, déclara Randalf.

– Des têtards écrasés ! s'extasia Norbert en regardant le contenu du chapeau du magicien. Mon plat préféré. C'est super bon en beignet !

– Berk ! frissonna Jean-Michel.

– Tu as très bon goût, Norbert, acquiesça Randalf. C'est également comme ça que les souris échassières sont les meilleures.

Jean-Michel secoua la tête, écœuré.

– Des têtards, des souris ! Quand ma mère fait des beignets, c'est avec des ananas ou des bananes...

Sa voix s'étrangla, son menton tremblota.

– Jean-Michel, dit Randalf, inquiet. Si ces beignets sont si importants pour toi, peut-être pourrions-nous... ce soir...

– C'est pas les beignets, cria Jean-Michel. C'est ma mère qui me manque ! Et mon père ! Et les jumeaux ! Et même ma sœur Ella ! Ils me manquent tous.

Il prit une grande inspiration.

– Je veux rentrer à la maison !

Randalf donna une tape dans le dos de Jean-Michel.

– Crois-moi, mon garçon, il n'y a rien qui me ferait plus plaisir que de te renvoyer chez toi. Je me remue les méninges pour trouver une solution, mais…

Il haussa les épaules.

– N'abandonnons pas tout espoir, Jean-Michel. Je réfléchirai de nouveau au problème tout à l'heure. Je suis sûr que quelque chose va se passer. Sûr et certain !

Jean-Michel laissa tomber sa tête sur sa poitrine. Depuis combien de temps était-il coincé au Marais qui pue ? Les jours semblaient identiques les uns aux autres et il ne parvenait pas à tenir le compte. Tout ce qu'il savait, c'est que Randalf lui avait déjà tenu ces propos une bonne douzaine de fois. « Quelque chose va se passer. » Mais avait-il raison ? Pourquoi cette journée serait-elle différente des autres ? Il ouvrait la bouche pour en faire la remarque quand quelqu'un frappa doucement à la porte.

Randalf s'assit à la petite table.

– Apporte les beignets, Norbert ! Je suis affamé. Je pourrais engloutir un cochonnet rose puant tout entier !

– On n'a pas frappé ? demanda Jean-Michel.

Norbert fronça les sourcils et se gratta la tête.

– Frappé ? Tu veux encore te battre, Jean-Michel ?

– Je n'ai rien entendu, lâcha Randalf.

– Moi non plus, renchérit Véronica.

Il y eut un second coup, plus faible encore que le premier, suivi d'un éternuement discret.

– Atchiii !

– Tu as raison, sourit Randalf. Quelle merveilleuse oreille de super-guerrier ! Bravo, mon garçon ! Norbert, va ouvrir !

Norbert hésita :

– Ben si ça frappe, moi j'y vais pas, j'ai pas envie de me battre…

– Norbert, soupira Randalf.

Le troisième coup fut accompagné d'un deuxième éternuement et d'un grognement.

– Norbert ! Vas-y ! ordonna Randalf.

L'ogre obéit.

Dans la lumière rasante du matin, se découpait une silhouette maigrelette, dégoulinante d'eau. Son capuchon pointu portait les initiales M.E.

Il sortit une enveloppe – non moins trempée que lui – de son sac surchargé et la tendit.

– C'est une imp… atchii… importante missive… atchiii ! atchiii ! atchiiiii !

Il essora un mouchoir et se moucha comme il put.

– Quel endroit idiot pour vivre, se plaignit-il, au beau milieu d'un lac volant ! Vous avez une idée du temps qu'il m'a fallu pour remonter la cascade à la nage ? Vraiment, je ne suis pas du genre à récriminer, mais…

– Eh bien tant mieux, le coupa sèchement Randalf. Donnez-moi cette enveloppe !

L'elfe secoua la tête.

– Pas à vous !

– Et pourquoi, je vous prie ?

– Parce que cette lettre ne vous est pas adressée, riposta le messager. La direction de Messageries elfiques tient à ce que chaque carte, lettre, paquet, ou autre colis soit remis en mains propres à son destinataire !

– Mais si vous ne vous êtes pas trompé d'adresse, ce courrier est forcément pour moi, dit Randalf. Ou pour Norbert. Ou Véronica.

L'elfe les dévisagea l'un après l'autre avant de secouer la tête. Pendant une folle seconde, Jean-Michel pensa que la lettre lui était peut-être destinée.

– C'est pour qui, alors ? demanda Randalf.

L'elfe lut à voix haute :

– « Grand sorcier… »

– Du coup, on est sûr que c'est pas pour Randalf, marmonna Véronica.

– « Grand sorcier Roger le Plissé », annonça l'elfe. Et vous, ajouta-t-il en désignant Randalf, vous n'êtes pas plissé du tout. Vous êtes peut-être Roger le Gros mais pas Roger le Plissé. Et puis votre canari vous a appelé Randalf.

– Canari ! piailla Véronica, indignée. Comment osez-vous ?

Randalf bomba le torse.

– Je suis Randalf le Sage, déclara-t-il. Assistant personnel du grand sorcier Roger le Plissé qui en ce moment est en... vacances. Il m'a chargé de ses affaires pendant son absence.

Il prit l'enveloppe des mains de l'elfe.

– Je suis donc autorisé à lire sa correspondance.

L'elfe essaya de reprendre la lettre, mais Randalf se montra plus rapide et la cacha derrière son dos. L'elfe était au bord des larmes.

– Je vais avoir des tas de problèmes, gémit-il. Ils vont me reprendre mon capuchon et mon insigne.

– Si vous ne dites rien, je ne dirai rien non plus, affirma Randalf. Ce sera notre petit secret.

L'elfe plissa les yeux d'un air soupçonneux.

– Et le canari ? On peut lui faire confiance ?

– Tu viens de perdre ton job, facteur, marmonna Véronica.

– Son bec restera scellé, affirma Randalf. Faites-moi confiance, je suis magicien. Maintenant, vous pouvez partir.

Il se tourna vers l'ogre.

– Norbert, pouvez-vous indiquer le chemin à cet elfe ?

Norbert désigna la porte de son gros doigt.

– C'est la porte, dit-il.

L'elfe parti, Randalf observa l'enveloppe.

– L'adresse est parfaitement écrite, par un érudit.

Il la renifla.

– Et l'odeur est celle, si je ne me trompe, de pétales de rose. De qui peut-elle venir ? Une sorcière peut-être ? Ou une princesse.

– Y a qu'à l'ouvrir et vous le saurez, lança Véronica.

– Impatiente amie à plumes, dit Randalf. Tu ignores que le plaisir d'une lettre est d'abord le mystère. Pour le moment, mon imagination a encore libre cours…

Il glissa l'index dans le rabat de l'enveloppe et la déchira délicatement.

– Ce peut être une lettre d'amour, un chèque, une bonne nouvelle…

– Ou une facture, lâcha Véronica.

Le magicien ouvrit l'enveloppe.

– On va bientôt le savoir.

Il sortit une carte rose et blanche.

– Ah, le frisson du mystère, soupira-t-il.

Il lut la carte et ses sourcils se soulevèrent.

– Alors ? demanda Véronica. Bonnes ou mauvaises nouvelles ?

– C'est une invitation, répondit le magicien.

– Bonne nouvelle, alors !

– Une invitation de la part du baron Cornu et de la baronne…

– J'ai parlé trop vite, grogna Véronica.

Norbert s'approcha, curieux.

– Lisez-la-nous, maître.

Randalf s'éclaircit la gorge.

– « Cher Roger le Plissé »...

– Lire le courrier des autres, ce n'est pas très poli, commenta Véronica.

– Véronica, tais-toi, lança Randalf. Où en étais-je ? Ah, oui... « le baron Cornu, seigneur du Marais qui pue, empereur des montagnes et monarque des landes, bien-aimé, munificent, très apprécié, extrêmement juste... »

– C'est bon, c'est bon, le pressa Véronica, au fait !

Randalf soupira et reprit sa lecture.

– « Ainsi que sa très belle femme », bla bla bla... Ah, nous y voilà... « invitent cordialement Roger le Plissé à une réception qui se tiendra dans le jardin de son château, si bien tenu, spacieux, luxuriant, magnifique... » bla bla bla... « tournez à droite après les Montagnes moisies et suivez votre nez... »

– Oui, bon, d'accord, s'impatienta Véronica, on sait tous où se trouve le château du baron, mais c'est quand, cette réception ?

– Ah oui, bien sûr, dit Randalf.

Il haussa les sourcils.

– Oh ! Par les trois lunes du Marais qui pue ! C'est aujourd'hui même ! À deux heures, cet après-midi ! Et ils attendent un magicien, de préférence Roger le Plissé, pour l'inauguration.

– Ils vont être déçus, ricana Véronica. Une réception ! Dans le jardin ! Vous l'avez déjà vu, le jardin du baron Cornu ? Quel être doué de toutes ses capacités mentales irait faire la fête dans le jardin du château ?...

– Tu oublies un détail, Véronica, remarqua Randalf. Un magicien est payé pour couper un ruban : c'est trois pièces d'or et autant de bouillie d'avoine que tu peux en avaler. J'ai dépensé mes dernières gadoules et je ne peux rater cette occasion.

– Et comment on va y aller ? voulut savoir Véronica. Ça commence à deux heures !

– Il est après-midi et quart ! cria l'elfe de l'horloge en passant la tête entre les portes.

– Nous allons faire ce que nous faisons toujours quand nous sommes très pressés, repartit Randalf.

Norbert pâlit.

– Non, pas les bottes ailées...

– Nous n'avons pas le choix, déclara fermement le magicien.

Jean-Michel se tourna vers Norbert.

– Les quoi ?

– Vous avez oublié ce qui est arrivé la dernière fois, frissonna Véronica.

Randalf frappa dans ses mains.

– Allons, allons, tout le monde, on se dépêche. On devrait déjà être en route.

– Et moi ? demanda Jean-Michel.

Randalf sourit.

– Il y a toujours de la place sur les épaules de Norbert pour un super-guerrier, mon garçon.

Henri aboya.

– Et pour son fidèle écuyer, ajouta Randalf.

– Ce n'est pas ce que je voulais dire, protesta Jean-Michel. Vous avez promis de me renvoyer à la maison ! Vous avez promis d'y réfléchir !

– Plus tard ! dit Randalf. J'ai promis. Et tu peux me faire confiance…

– Mais quand ? insista Jean-Michel.

– On trouvera un moyen, dit gaiement le magicien, mais pour le moment, le devoir nous appelle !

L'elfe de l'horloge refit une apparition :

– Vous allez être en retard !

Et il éclata d'un rire hystérique.

– Cet elfe est frappé, soupira Véronica. Il a besoin d'être remonté.

– Tout à fait, acquiesça Randalf. Je vais le faire tout de suite…

Il prit une inspiration et lança :

– Elfe de l'horloge, tu es ridicule et mal embouché !

L'elfe, furieux, grimaça :

– C'est à moi que vous parlez sur ce ton ? C'est à moi ?

– Voilà, dit Randalf satisfait, il est remonté. Maintenant, allons-y. On n'a plus un moment à perdre !

Le soleil se levait et la petite cuiller avançait son bonhomme de chemin. Elle sautillait de touffe d'herbe en touffe d'herbe en soupirant. Attirée par une force étrange, elle avait quitté le pont des Trolls, traversé les Montagnes aux ogres et tourné en direction de la Mare odorante.

Elle se reposa un instant en haut d'une petite butte, et tendit l'oreille. Un sifflement léger semblait flotter dans l'air.

Elle était près du but à présent. La petite cuiller soupira, prit son élan et sauta sur la touffe d'herbe la plus proche.

Puis la suivante.

Et encore la suivante.

Elle aperçut devant elle un scintillement. Elle continua son chemin dans cette direction et le scintillement devint presque aveuglant.

Là, dans l'herbe, était accroupie une grenouille péteuse. Une énorme grenouille péteuse. Elle clignait ses yeux globuleux, l'un après l'autre. Elle se dressa sur ses grosses pattes arrière, prête à bondir. Les pustules de sa peau rose tremblotaient.

La petite cuiller se reçut mal sur sa touffe d'herbe. Elle glissa et tomba en laissant échapper un petit cri.

– Aaaa !

La grenouille péteuse ouvrit la bouche, tira sa longue, longue langue collante et l'enroula autour de la petite cuiller.

En disparaissant à l'intérieur de la bouche malodorante de la grenouille péteuse, la petite cuiller émit un léger soupir.

– Aaaaa !

La grenouille referma la bouche et avala la cuiller avant de sourire de contentement. Elle s'apprêtait à sauter plus loin, afin de se trouver un coin tranquille pour digérer, mais…

Un long gargouillis s'échappa de son estomac. Puis sa peau changea de couleur : de rose, elle passa au rouge, puis à l'orange. Son sourire se transforma en grimace.

– Coâ ! coassa-t-elle. Coâ !

Elle essaya de cracher la cuiller, mais rien à faire… la grenouille péteuse se débattait en vain. Ses yeux s'exorbitèrent, sa langue se déroula jusqu'au sol, elle fut prise de tremblements, ouvrit la bouche sans réussir à émettre le moindre son, puis commença à gonfler. Sa peau se tendit et…

Bang !

L'explosion de la grenouille péteuse résonna alentour. Les démons gluants des marais plongèrent la tête sous l'eau (ils étaient très peureux), et les cochonnets roses puants lâchèrent des pets sonores. C'était assourdissant. Les restes de la malheureuse grenouille retombèrent sur le sol, mais la cuiller, elle, volait au-dessus de la Mare odorante en soupirant.

À l'entrée de la caverne, l'orchestre de couverts était en plein swing. La pince à sucre dirigeait son ensemble avec enthousiasme ; les cuillers cliquetaient, les couteaux tintaient, les louches s'entrechoquaient, les fourchettes à dessert carillonnaient et le tranche-œuf avait entrepris un solo osé qui se termina en bagarre avec un hachoir.

Les volutes de fumée qui s'échappaient de la caverne s'épaississaient. L'orchestre jouait de plus en plus fort.

Cling ! Clang ! Clong ! Cling !

Soudain, couvrant l'étrange musique, un long sifflement, semblable à celui d'une locomotive à vapeur, s'éleva. Des nuages de fumée gris et blancs ondulèrent autour des couverts qui continuèrent à jouer.

Cling ! Clang ! Clong ! Cling !

Puis un museau énorme aux narines fumantes apparut. Les naseaux frémirent et s'approchèrent.

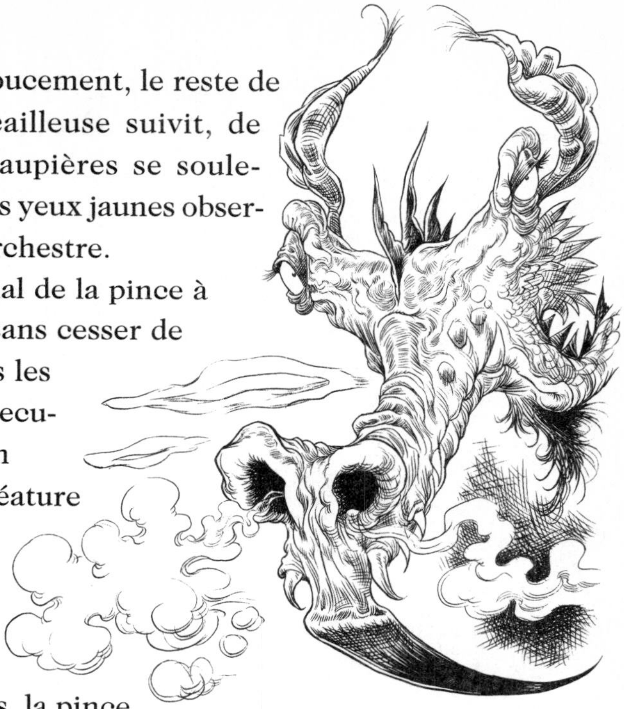

Tout doucement, le reste de la tête écailleuse suivit, de lourdes paupières se soulevèrent. Des yeux jaunes observèrent l'orchestre.

Au signal de la pince à sucre, et sans cesser de jouer, tous les couverts reculèrent d'un pas. La créature avança son long cou.

Une fois de plus, la pince ordonna aux couverts de reculer. La bête souleva son gros corps et déplia ses grosses pattes munies de griffes impressionnantes.

Cling ! Clang ! Clong ! Clang !

L'orchestre jouait sans discontinuer et reculait à chaque nouveau « Clong ».

Pas à pas, la créature sortit de sa caverne jusqu'à se tenir dans les rayons matinaux. Elle observa la taille et la forme de chaque couteau, renifla les cuillers, mais plus elle avançait, plus l'orchestre reculait.

Émettant un grognement menaçant, la créature se dressa sur ses pattes arrière, agita ses petites ailes et remua la queue. Puis, levant le museau vers le ciel, elle toussa rageusement. Deux ronds de fumée noire s'échappèrent de ses naseaux. Elle ouvrit les mâchoires et cracha une flamme orangée en poussant un rugissement féroce.

L'énorme et magnifique bête était couchée sur son trésor depuis de longues années. L'orchestre l'avait éveillée. Elle avait regardé et écouté ; à présent, elle voulait les posséder !

Si seulement ils pouvaient rester immobiles.

Le dragon rugit de nouveau ; les flammes atteignirent un escadron d'armoires volantes. Une d'entre elles, mortellement touchée, tomba en piqué. Elle atterrit avec fracas au pied des Montagnes moisies.

Les couverts tremblèrent.

Cling ! Clang ! Clong ! Clang !

Ils continuèrent à reculer.

Le dragon les regarda avec avidité. Il était si excité qu'il pouvait à peine se contrôler.

Il voulait ajouter tous ces objets scintillants et tintinnabulants à son trésor. Il voulait sentir l'arrondi des cuillers, le piquant des fourchettes. Il voulait se coucher dessus et les garder jusqu'à la fin des temps.

Il plissa les yeux. Pourquoi ces satanés objets s'éloignaient-ils encore ? À quoi jouaient-ils ?

Les muscles du dragon frémirent. Sa queue se balança de droite à gauche, soulevant la poussière. Ses naseaux fumaient plus que jamais. Il se retenait de se jeter sur les couverts, de peur de les abîmer.

Il devait se montrer plus rusé. Il s'assit, puis tourna la tête comme s'il était sur le point de partir.

La musique s'arrêta. La pince à sucre fit un signe et tous les couverts avancèrent d'un pas.

En moins de temps qu'il n'en faut pour le dire, le dragon bondit, plus rapide que l'éclair. Il se servit de son immense queue comme d'un rempart pour les empêcher de fuir. Ils étaient faits comme des rats. C'est du moins ce que le dragon croyait. Mais les couverts avaient une autre idée en tête. Déjà, certains cherchaient une issue.

Une dizaine de cuillers à œuf coque escaladaient les écailles, une demi-douzaine de louches se faisait la courte échelle, le tranche-œuf se servait d'une fourchette comme trampoline, des couteaux se catapultaient eux-mêmes par-dessus la queue du dragon.

La bête poussa un hurlement qui fit trembler les montagnes. Elle gratta le sol de ses griffes acérées et souleva violemment la queue, envoyant valser les couverts agrippés dessus. Le reste de l'orchestre profita de l'occasion pour s'enfuir.

Ils couraient dans la plaine avec une agilité et une vitesse remarquables. Ils laissèrent le dragon sur place. Mais ce dernier n'avait pas dit son dernier mot : il prit une grande inspiration et cracha une longue flamme qui chauffa le derrière de deux petites cuillers plus lentes que les autres.

Les couverts continuèrent à courir, les éclopés rejoignirent le groupe et tous disparurent dans un minuscule interstice entre deux rochers.

Le dragon s'immobilisa, perplexe. Sa nouvelle collection d'objets brillants lui avait échappé.

Mais il n'allait pas abandonner ! Non ! Il les retrouverait coûte que coûte. Même s'il devait les chercher dans toute la contrée.

La chasse était ouverte.

Sur les remparts de son château, le baron Cornu regardait les montagnes. Il jeta un œil à sa montre de gousset, pour la cinquième fois en moins de cinq minutes, et secoua la tête.

– Deux heures dix, et toujours rien, marmonna-t-il. Que leur est-il arrivé ? D'abord les couteaux et maintenant les magiciens ! Qu'est-ce que ça veut dire ? On ne peut pas commencer une fête sans magicien. Ça ne se fait tout simplement pas !

Jamais Ingrid ne lui pardonnerait. Il grogna :

– Où sont-ils ? Par mes cornes, où sont-ils ?

– Ici, dit Benson.

– Les magiciens ? s'exclama le baron.

– Non, rectifia gentiment Benson. Les piques à sucre que vous avez fait tomber tout à l'heure. Je les ai toutes ramassées.

Le gobelin brandissait fièrement une brindille taillée.

–Ah, ça, lâcha le baron, déçu.

–La baronne en a-t-elle été satisfaite, messire ?

Le baron se frotta le bras et grimaça.

–Pas vraiment, non, pas vraiment.

–Walter ! cria Ingrid de sa voix perçante.

Le baron frissonna.

–Pour le moment, la pince à sucre est le cadet de mes soucis. J'ai besoin d'un magicien. N'importe quel magicien, ajouta-t-il nerveusement.

Puis il cria :

–Oui, mon ange ?

–Pas la peine de te fendre d'un « mon ange », le rembarra Ingrid. Tu n'es qu'une grosse limace bonne à rien !

–Oui, ma colombe, acquiesça le baron.

–Parfaitement ! continua la baronne. Mon corset vient de craquer ! Tu l'as encore acheté en solde !

–Le corset « mince de mince » ? s'étonna le baron. Le modèle super renforcé ? Il m'a coûté une fortune !

–Tu m'entends, Walter ? cria Ingrid. Tu n'es pas un baron Cornu ! Tu n'es même pas capable de faire les choses les plus simples !

–Je te demande mille fois pardon, ma douce, s'excusa le baron. J'arrive tout de suite.

–Et apporte vingt-cinq mètres de toile à chapiteau, ordonna-t-elle. Il faut aussi réparer la robe ! Et n'oublie pas l'aiguille.

–Oui, votre Potelé, grommela le baron.

– Si je peux vous aider... proposa Benson.

– Je pense que vous en avez assez fait pour aujourd'hui, dit le baron en cassant la brindille avant de la laisser tomber.

Il s'apprêtait à s'éloigner quand une idée lui traversa l'esprit. Il toisa Benson, observa son corps anguleux et sa barbichette. Vêtu différemment, il ferait un parfait magicien.

– En fait, quand j'y pense, Benson, dit-il, procurez-vous une longue tunique et un chapeau pointu, puis retrouvez-moi ici, dans...

Il jeta un coup d'œil à sa montre.

– ... Dans vingt-deux minutes.

– Walter ! hurla Ingrid. J'attends !

– Ralentis, Norbert, supplia Jean-Michel, en s'agrippant à l'épaule de l'ogre et en serrant Henri contre lui. Ralentis !

– Je ne peux pas, répondit Norbert, essoufflé. C'est à cause des bottes.

– S'il te plaît, insista Jean-Michel. J'ai failli tomber !

Ils traversaient les Montagnes moisies. Le chemin était étroit.

– Ouaaaaaah ! cria Norbert en faisant des moulinets avec ses bras pour retrouver son équilibre.

– C'est la faute de Randalf, lança Véronica, perchée en haut du chapeau du magicien.

Elle se pencha et lui hurla à l'oreille :

– Réveillez-vous, ridicule petit bonhomme ! Réveillez-vous !

Mais Randalf se contenta de ronfler un peu plus fort. Il s'endormait toujours quand il voyageait à dos d'ogre et plus les soubresauts étaient violents, plus il dormait profondément.

Il y eut une secousse. Jean-Michel glissa, Henri suivit le mouvement, ils faillirent atterrir sur la route, mais Jean-Michel agrippa juste à temps la chemise de Norbert.

– Norbert, ralentis ! rugirent en même temps Véronica et Jean-Michel.

Henri aboya pour faire bonne mesure.

– Je ne… peux… pas, haleta Norbert, en continuant à courir sur les graviers du chemin. Les bottes m'en empêchent…

Jean-Michel regarda les pieds de Norbert. Il était chaussé de bottes ailées à roulettes. (Comme les rollers que Jean-Michel avait chez lui, sauf que ses rollers à lui n'avaient pas d'ailes.)

Au départ, tout s'était bien passé…

– C'est parfait pour gravir la montagne, avait prévenu Norbert, mais pour descendre…

Soudain, le sol disparut sous les pieds de l'ogre. Norbert pédala frénétiquement dans le vide. Véronica poussa un cri perçant. Henri gémit. Jean-Michel serra les dents et attendit la chute.

– Ouch ! lâcha-t-il quand Norbert atterrit.

Ils étaient de nouveau sur la route et leur vitesse n'avait pas diminué d'un pouce.

– J'en étais sûre, se plaignit Véronica. Je l'ai supplié de ne pas donner ces bottes à Norbert.

– Je suis témoin, acquiesça Jean-Michel.

– Et m'a-t-il écouté ?

– Il n'a rien voulu entendre, dit Jean-Michel.

– Attention ! hurla Véronica.

– Au secours ! s'époumona Norbert. On va encore tombeeeeeer !

La petite cuiller terminait son vol au-dessus du marais. Doucement, elle tomba et son manche se planta dans le sol sableux. Elle poussa un léger soupir.

Non loin de là, une famille de gobelins, installés sur une couverture, pique-niquait.

– Y a pas assez de sable ici, se plaignait le plus jeune.

– Tais-toi et mange ton sandwich à la morve, Gob ! lui ordonna son père. Ta mère s'est donné du mal à le préparer et toi, tu n'es jamais content.

– Bon, d'accord, grommela Gob.

Il mordit dans son sandwich.

– Oh ! C'est quoi ? s'exclama-t-il soudain.

– Quoi ? demanda sa mère, la bouche pleine de porridge gluant.

– Ça, répondit Gob en courant vers l'endroit où s'était plantée la petite cuiller.

– Une crotte de cochonnet rose puant ? voulut savoir sa mère.

– De la bave de souris échassière ? se renseigna son père.

– Non, c'est pas un truc à manger, répondit Gob.

Il s'accroupit et sortit l'objet du sable.

– C'est une petite cuiller. Une petite cuiller en argent. Je peux la garder ?

– Si ça te fait plaisir, mon chéri, accepta sa mère. Mets-la dans ta poche pour ne pas la perdre. Nous allons rentrer. Si nous partons maintenant, nous arriverons à Gobelinville pour le goûter.

Elle sourit.

– Tu pourras utiliser ta nouvelle petite cuiller pour tourner ton chocolat chaud aux crachas.

En tombant dans la poche du jeune gobelin, la petite cuiller laissa échapper un soupir. Il faisait chaud et humide dans la poche de Gob. L'odeur était presque insupportable et surtout – la petite cuiller trembla –, il faisait tout noir.

Ils avaient passé les Montagnes moisies et apercevaient à l'horizon les tours et les créneaux du château du baron Cornu. Une musique, des rumeurs de voix, des cliquetis de tasses et de soucoupes parvinrent jusqu'à eux. Accompagnés de temps en temps d'une annonce au mégaphone.

Norbert s'arrêta. Son cœur palpitait, ses jambes tremblaient d'épuisement.

– Vous savez quoi ? haleta-t-il. Je crois que je commence vraiment à me faire à ces bottes. Avec un peu d'entraînement…

– … Tu réussiras à te briser le cou ! termina Véronica.

Randalf ouvrit les yeux.

– On est déjà arrivés ? demanda-t-il en regardant le paysage aride.

– Presque, dit Norbert, toujours essoufflé.

Randalf pencha la tête sur le côté et écouta rêveusement les bruits de la fête. L'orchestre devait être armé de tambours, de cymbales, de cornemuses et d'un instrument qui produisait le mugissement d'un cochonnet rose puant à qui on tire la queue.

– Oh, la fête est déjà commencée, s'exclama-t-il.

Il jeta un coup d'œil à sa montre.

– Trois heures ! Nous sommes en retard ! Que va dire le baron Cornu ?

– Un truc du style : « Vous êtes en retard, espèce de faux magicien incapable ! »

– Véronica, tais-toi ! lança Randalf.

Il donna un petit coup de canne sur la tête de Norbert.

– Norbert, en avant ! Mène-nous au château aussi vite que tu le peux ! Jean-Michel ? Que fais-tu ?

Jean-Michel était descendu de l'épaule de Norbert. Il posa Henri à côté de lui.

– Si ça ne vous dérange pas, je continue à pied.

Véronica s'envola du chapeau de Randalf et se percha sur la tête de Jean-Michel.

– Excellente idée ! dit-elle.

Norbert s'apprêtait à repartir mais faillit tomber.

– Wououou ! glapit Randalf. À la réflexion, pose-moi aussi, Norbert, et ôte ces bottes, elles ne conviennent pas à une fête au château.

– Je commençais juste à m'habituer, se plaignit Norbert.

Randalf fronça les sourcils.

– Pas de discussion !

Il sauta au sol.

– Suivez-moi tous !

Ils poursuivirent leur chemin en silence. Des odeurs se mêlaient aux sons de la fête et parvenaient presque à couvrir les effluves des Montagnes moisies : gâteaux tout juste sortis du four, caramel chaud, barbapapa. Quand ils tournèrent au coin des montagnes, l'imposante forteresse grise se dressa devant eux.

– Le château du baron Cornu ! annonça Randalf.

Il allongea le pas et se dirigea vers la porte principale. Un garde, assis, tenait une longue liste à la main.

– Mon nom est Randalf le Sage, déclara le magicien.

Il agita son invitation sous le nez du garde et la remit dans sa poche.

– Je suis sans doute sur votre liste au nom de Roger le Plissé, ajouta-t-il. Et eux...

Il désigna ses compagnons.

– ... eux sont...

– C'est bon, c'est bon, grommela l'homme sans même jeter un œil à sa liste et en étouffant un bâillement.

Un peu surpris, Randalf passa sous le porche qui menait à la cour du château. Un gobelin sale comme un pou, un mégaphone à la main, s'approcha d'eux.

– Je suis le héraut, se présenta-t-il. Qui dois-je annoncer ?

– Randalf le Sage, répondit Randalf. Grand magicien.

– Même moi, je m'y laisserais prendre, marmonna Véronica.

– Hein ? cria le gobelin. Comment vous dites ? Parlez plus fort !

– Je m'appelle Randalf le Sage, répéta Randalf un ton au-dessus, et mes compagnons sont Norbert le Pas-si-grand, Jean-Mi le Barbare accompagné de son fidèle écuyer, et Véronica, mon animal de compagnie.

Le gobelin porta le mégaphone à ses lèvres.

– Sandale le Singe, clama-t-il. Nestor le Pas-terrible…

– Donnez-moi ça ! s'énerva Randalf en prenant le mégaphone.

– Arrêtez ! s'écria le héraut en reprenant son ustensile. C'est mon boulot d'annoncer les invités.

Il se tourna vers Henri et Jean-Michel.

– Redites-moi vos noms.

– Dépêchez-vous donc qu'on en finisse ! s'impatienta Randalf.

– Dépêchévoudonc et Konenfinisse ! vociféra le gobelin dans son mégaphone.

Randalf pressa ses compagnons vers l'entrée du château.

– Allons-y. Trouvons le baron. Peut-être est-il encore temps.

Véronica ricana.

– Temps pour quoi ? Au cas où vous n'auriez pas remarqué, ils ont commencé sans vous.

Un serveur s'approcha d'eux, un plateau en équilibre sur la paume.

– Une tasse de chocolat chaud aux crachats ? proposa-t-il en grognant. Un sandwich à la morve ?

– Non merci, refusa Jean-Michel, écœuré.

Un gobelin sans dents s'arrêta :

– Ai-je entendu parler de chocolat chaud aux crachats ?

Le serveur se courba.

– Tout à fait, monsieur.

Il versa un liquide épais dans une tasse ébréchée, ajouta un morceau de sucre brun et un crayon à papier et tendit le tout au gobelin.

– Oooh, grand merci ! s'extasia le gobelin. Mais à quoi sert le crayon ?

– Désolé, monsieur, répondit le serveur, nous n'avons plus de petites cuillers.

Le gobelin haussa les épaules.

– Aucune importance !

Il jeta le crayon par-dessus son épaule et mélangea la mixture avec son doigt.

– Beuh, fit Jean-Michel en détournant la tête.

Des stands, des étals, des tables avaient été installés partout, dans ce qu'il était difficile d'appeler le jardin du château (le sol était couvert de graviers et le seul arbre était presque mort).

Dans un coin, Benson avait posé un vase de fleurs artificielles. Dans un autre, une pelouse en plastique de la taille d'une petite nappe avait été étalée au sol. Une pancarte *Pelouse interdite* était plantée devant. Au milieu de la cour, à l'ombre de l'arbre mort, une vasque en marbre servait de nid à quelques oiseaux dodos.

En revanche, il y avait tout ce qu'il faut à manger. Chacun pouvait se servir en gâteau avec des brindilles pointues et mélanger le contenu de sa tasse avec un crayon. Sur une estrade bancale, un groupe jouait une musique cacophonique. Jean-Michel sourit. Le son qu'il avait entendu un peu plus tôt (qui ressemblait au cri d'un cochonnet rose puant à qui l'on tire la queue) provenait justement d'un cochonnet rose puant à qui un musicien tirait la queue. Un petit gobelin se tapait la tête contre les cymbales et un énorme troll entamait un solo à la cornemuse.

– Approchez ! Approchez ! cria une voix, non loin de l'estrade. Venez sentir les jarres !

Jean-Michel se fondit parmi les gobelins, trolls et autres créatures agglutinés autour d'une grande table. L'animateur du stand saisit une des grandes jarres posées à ses pieds et la présenta au public.

– Vous, monsieur, vous semblez être un gobelin d'un grand discernement.

Il ôta le couvercle de la jarre. Le gobelin se pencha au-dessus et prit une grande inspiration.

– Mmmmm !

Un large sourire s'étala sur le visage du gobelin.

– Ne me dites pas, ne me dites pas...

– Eh bien ?

– Je dirais... je dirais... chaussette sale... pied gauche ! et... et... un soupçon de caleçon d'ogre !

– Excellent ! applaudit l'animateur. Je l'appelle « Après la gym ! ». C'est un de mes parfums les plus appréciés après « Pot de gobelineau renversé ».

Jean-Michel rit et s'éloigna. Il s'arrêta de nouveau près d'un grand chapiteau à rayures. Une pancarte accrochée à un des poteaux signalait :

*Concours de betteraves*

Curieux, Jean-Michel passa la tête dans l'ouverture. La foule qui encombrait le chapiteau était essentiellement composée de trolls. Ils observaient les betteraves disposées sur une table, devant eux.

– Celle-ci est vraiment grosse, lança une voix.

Son voisin hocha la tête.

– Celle-ci n'est pas mal non plus.

– C'est vrai ! Et celle-là aussi, tu ne trouves pas ? renchérit l'autre.

– Très grosse ! Et tu as remarqué celle-là ? Et celle à côté de la grosse, à droite de la grosse, tout près de la grosse...

Jean-Michel reprit sa visite. Il passa devant un stand où l'on pouvait plonger la tête dans un seau de caramel fondant et un autre où la barbapapa servait à se déguiser en père Noël. Il regardait un étal d'*Objets cassés, inutiles ou dépareillés*, quand il se rendit compte qu'il avait perdu de vue Randalf, Norbert et Véronica. Même Henri avait disparu.

Il décida de faire demi-tour. Il atteignait l'estrade, où l'orchestre avait été remplacé par une troupe de souris échassières qui dansait du folk, quand il aperçut Randalf.

– Randalf ! Randalf ! cria-t-il.

Le magicien ouvrit ses bras.

– Te voilà, mon garçon. J'allais demander au héraut de faire une annonce pour te retrouver. Où sont les autres ?

– Je les croyais avec vous, dit Jean-Michel.

Randalf fronça soudain les sourcils.

– Qu'est-ce que c'est que ça ?

Jean-Michel suivit son regard et découvrit un chapiteau rose et mauve, dont l'entrée était ornée d'une couronne de fleurs.

– « Chapiteau rose pétale de la Délicatesse », lut Jean-Michel à voix haute.

– Hmmm, apprécia Randalf. Ça sonne bien. Rappelle-moi de passer y faire un tour un peu plus tard. Mais pour le moment, au travail.

Une mystérieuse silhouette encapuchonnée se glissa à cet instant hors du chapiteau. L'individu jeta un coup d'œil furtif à droite et à gauche et disparut dans la foule.

PELOUSE INTERDITE

– Randalf le Sage et Jean-Mi le Barbare ! lança une voix forte.

Randalf et Jean-Michel se retournèrent. Le baron Cornu se tenait devant eux.

– Où est Roger le Plissé ? demanda-t-il. Il devait arriver à deux heures précises pour inaugurer la fête.

– Il… hem… avait d'autres engagements… balbutia Randalf. Une affaire top secrète, ajouta-t-il en se tapotant le bout du nez. Il m'a envoyé à sa place.

Le baron Cornu leva les yeux au ciel.

– J'aurais dû m'en douter. Bon, dépêchez-vous ! Vous êtes en retard et Ingrid est furieuse !

Randalf secoua doucement la tête.

– L'invitation n'est arrivée que ce matin par messagerie elfique, dit-il. Nous avons aussitôt accouru.

– Hmmmph, grogna le baron. J'ai été très gêné par ce retard… j'ai essayé de déguiser Benson en magicien, mais Ingrid ne s'est pas laissé prendre. Et puis, on n'avait rien pour couper le ruban : tous les couverts ont disparu, y compris les ciseaux.

Il soupira.

– J'ai dû demander à un elfe de le couper avec les dents. Une véritable catastrophe.

– Tragique, acquiesça Randalf. Mais je suis là, à présent. Et si je peux vous donner un coup de main… contre une modeste rémunération…

Le baron plissa les yeux.

–Je ne sais pas… reprit Randalf, une décoration à remettre, une coupe ou une médaille à distribuer… je suis votre homme… euh… votre magicien.

–Vous n'êtes pas Roger le Plissé, observa le baron, glacial. Mais…

–Walter !

Le baron trembla des pieds à la tête.

–Oh, mon dieu, lâcha-t-il. Qu'est-ce qui se passe, maintenant ?

–Walter ! Où es-tu ?

–J'arrive, mon amour !… Je dois y aller, ajouta-t-il à l'adresse de Randalf.

Le magicien opina du bonnet.

–Je le comprends parfaitement, baron, et souvenez-vous, si vous avez besoin de moi pour quoi que ce soit…

Le héraut annonça soudain dans le mégaphone :

–Le baron Cornu est appelé immédiatement au chapiteau rose pétale de la Délicatesse ! Le baron Cornu !

Le baron regarda Randalf. Il hésita un instant et dit :

–Si vous voulez vous rendre utile, allez-y à ma place et voyez ce qu'ils veulent.

–Très bien, messire, je m'y rends de ce pas !

–Wal-ter !

Le baron tira sur ses manches, redressa son casque et lança, avant de répondre à l'appel de la baronne :

–Et quel que soit le problème, réglez-le pour moi !

–Le devoir nous appelle, mon garçon, dit Randalf à Jean-Michel. Va chercher les autres. Henri et Norbert sont sans doute au stand des doudous d'ogre. En face du stand du barbouillage de visages.

– Barbouillage de visages ? Vous voulez sans doute dire maquillage ?

– Tu n'as pas vu le troll qui anime cette activité ! Ah oui, et Véronica parlait d'essayer la vasque. On se retrouve ici dans une demi-heure, d'accord ?

– Une demi-heure, parfait.

Jean-Michel s'éloigna. « C'est un bon garçon », pensa Randalf. Il regrettait de ne pouvoir le renvoyer chez lui. Mais bon… il soupira en se dirigeant vers le pavillon rose pétale de la Délicatesse.

Jean-Michel arriva au stand des doudous d'ogre juste à temps pour arracher Henri des bras d'un ogre très démonstratif. Norbert était assis par terre et suçait bruyamment son pouce en serrant contre lui un lapin en peluche.

Ils partirent ensemble à la recherche de Véronica, qu'ils trouvèrent à discuter cage et miroir avec quelques oiseaux dodos dans la vasque…

De son côté, Randalf était arrivé au chapiteau rose et mauve. Il souleva la tenture qui tenait lieu de porte et entra.

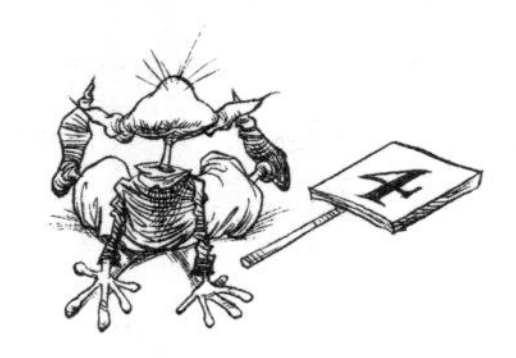

Randalf regarda autour de lui. Le chapiteau était vaste, baigné d'une lumière rose pâle. Il était vide.

Le magicien laissa retomber la tenture derrière lui et avança. Aussitôt, le piège se referma.

Un nœud coulant se serra autour de ses chevilles, la corde se tendit et Randalf fut soulevé dans les airs. En une seconde, il se retrouva la tête en bas, pendu par les pieds, à un mètre du sol.

– Oh, magnifique ! s'extasia-t-il. Une nouvelle attraction !

Ravi, il se tortilla dans tous les sens.

– Ça me chatouille le nez ! dit-il en riant.

Il leva la tête.

– C'était très drôle. Merci. Vous pouvez me reposer à présent.

Il n'obtint d'autre réponse qu'un cliquetis qui provenait de l'extérieur du chapiteau. Un cliquetis de plus en plus fort.

– Qu'est-ce que c'est que ça ? demanda-t-il.

Dans le jardin rocailleux du château, tous les convives tournèrent la tête vers la grande porte.

– Les couverts ! Ils reviennent ! cria quelqu'un.

– C'est pas trop tôt, lança Benson en laissant tomber ses piques à sucre en bois.

Fendant la foule, les couverts prirent place au milieu du jardin. En première ligne, menées par la pince à sucre, se trouvaient les cuillers et les louches, puis venaient les fourchettes, les couteaux et les hachoirs et enfin, le tranche-œuf.

Jean-Michel écarquilla les yeux. Norbert reposa le lapin en peluche qu'il serrait contre lui. Véronica prit de la hauteur.

– Ils se dirigent tous vers le chapiteau rose ! lança un jardinier.

À grandes enjambées, la pince à sucre gagna l'entrée du chapiteau et y pénétra, suivie de toute sa troupe cliquetante.

Le cœur de Randalf fit un bond.

– Mon dieu ! Seule une magie très puissante est capable de produire un tel effet. Je n'aime pas du tout ça !

Quand le tranche-œuf et le cure-dent en argent furent entrés, un épouvantable rugissement s'éleva.

– Roooooaaaaaarrrr !

Le tranche-œuf trembla de terreur. Une énorme patte griffue déchira la toile du chapiteau.

– Iiiiikk ! glapit le cure-dent.

– Un dragon, gémit une voix.

La panique gagna les invités. Tous se bousculèrent pour s'éloigner le plus possible du chapiteau rose pétale de la Délicatesse. Ils se serrèrent contre les hauts murs gris du château ou se cachèrent sous les stands.

Le dragon pesa de tout son poids sur le chapiteau, leva la tête et cracha une flamme. Il était satisfait : après une longue poursuite, il avait enfin réussi à rattraper et emprisonner son trésor. Il serra entre ses pattes écailleuses la toile rose et mauve et s'en fit un baluchon qu'il jeta sur son épaule. Puis, d'un bond puissant, il s'élança dans le ciel.

Le jardin resta parfaitement silencieux pendant un instant. Puis un troll s'écria :

– Ça, c'est du spectacle !

– Bravo, bravo ! approuva un gobelin.

Les autres invités applaudirent poliment.

Le mystérieux individu encapuchonné avait observé toute la scène. Il secoua la tête.

– Le dragon n'a pas enlevé la bonne personne. Le maître va être déçu.

Et il s'éclipsa.

Le héraut se mit à tourner autour de la vasque à oiseaux en vociférant dans le mégaphone :

– Le baron Cornu a été enlevé ! Le baron Cornu a été enlevé !

La foule fut parcourue d'une rumeur affolée ainsi que de quelques ricanements mais une voix, que chacun reconnut sans peine, rectifia :

– Mais non, pas du tout !

Le gobelin au mégaphone s'arrêta aussitôt :

– Baron ! C'est bien vous ?

– Oui, crétin ! Qui veux-tu que ce soit ?

Le héraut reprit son mégaphone :

– Le baron Cornu n'a pas été enlevé ! Le baron Cornu n'a pas été enlevé !

De nouveaux applaudissements polis crépitèrent (ainsi que quelques huées). Le baron se tourna vers la foule.

– Bon, qu'est-ce que c'est que cette histoire de couverts ? Est-ce que la pince à sucre a été retrouvée ?

– La pince à sucre a-t-elle été retrouvée ? trompeta le héraut dans son mégaphone.

– Est-ce que tu te sens obligé de répéter tout ce que je dis ? tempêta le baron.

– Est-ce que tu te sens obligé de répéter tout ce que je dis ? tonitrua le héraut dans son mégaphone.

– Mais vas-tu te taire ! se fâcha le baron.

– Mais vas-tu...

– Donne-moi ça, l'interrompit le baron en lui arrachant le mégaphone des mains.

Puis il se tourna de nouveau vers ses invités.

– Est-ce que quelqu'un va enfin me raconter ce qui s'est passé ?

Jean-Michel fit un pas en avant.

– Randalf est entré dans le chapiteau rose et mauve, expliqua-t-il. Tout à coup, les couverts sont arrivés, menés par une pince à sucre, et ils sont entrés à leur tour dans le chapiteau...

Le baron Cornu leva la main et sautilla sur place, tout excité.

– Une pince à sucre ? Tu as bien dit une pince à sucre ?

– Et puis, continua Jean-Michel, un dragon s'est posé sur le chapiteau, a enfermé les couverts et Randalf dedans avant de s'envoler.

– Mais c'est terrible ! s'exclama le baron.

– Oui…

Jean-Michel était au bord des larmes.

–… pauvre Randalf !

– Non, je pensais à la pince à sucre ! Que va dire Ingrid ?

– Et Randalf ! insista Jean-Michel. Vous l'oubliez ?

La disparition du magicien lui ôtait tout espoir de rentrer un jour chez lui.

– Walter !

– J'ai assez de problèmes comme ça, dit le baron d'une voix tranchante. Je ne vais pas en plus m'occuper d'un magicien de seconde zone… Et puis, ajouta-t-il, c'est toi le super-guerrier ! Tu aurais pu te battre contre le dragon ! C'est ton travail, il me semble !

– Wal-ter !

– À présent, veuillez m'excuser, le devoir m'appelle, termina le baron en tournant les talons. J'arrive, mon cookie aux pépites de chocolat !

Norbert s'était levé et se faufilait entre les invités pour rejoindre Jean-Michel. Henri trottinait à ses côtés, Véronica était perchée sur sa tête.

– Bouououh, se lamenta l'ogre en se jetant dans les bras du garçon.

– Allons, allons, essaya de le consoler Véronica.

– Faisons confiance à Randalf, murmura Jean-Michel.

– Oui, pour servir de dîner au dragon, on peut lui faire confiance, soupira Véronica à voix basse.

– Dîner ! sanglota Norbert.

Jean-Michel secoua la tête.

– Véronica a raison. Il a besoin de nous. De quel côté le dragon est-il parti ?

Véronica décolla du gros crâne de Norbert.

– J'ai une idée, dit-elle. Suivez-moi jusqu'au stand des objets cassés, inutiles ou dépareillés.

Véronica trouva aussitôt ce qu'elle cherchait, entre un gilet mangé aux mites et un tranche-betterave rouillé : un vieux parchemin poussiéreux.

Jean-Michel le déroula.

– « Trois navets, une demi-touffe d'herbe, une bouteille de lait de souris échassière », lut-il à voix haute. On dirait une liste de courses.

– Regarde de l'autre côté, lui lança la perruche.

Jean-Michel retourna le parchemin et découvrit une carte du Marais qui pue. Y figuraient le Lac enchanté, Gobelinville et les Montagnes aux ogres…

Véronica tapota le coin du parchemin du bout du bec.

– Regarde, ici !

En lettres de feu, étaient tracés ces mots :

*Là y a des dragons*

– Brrr, frissonna Norbert. J'aime pas ça.

– C'est là que nous devons nous rendre, déclara Jean-Michel. C'est notre seule chance de retrouver Randalf.

– Et quand on l'aura retrouvé, on fera quoi ? demanda Norbert.

– On trouvera un moyen de le sauver, répondit Jean-Michel. De toute façon, on n'a pas le choix.

– Jean-Michel a raison, approuva Véronica. Bien sûr, Randalf et moi ne sommes pas toujours d'accord, il est souvent pédant et incompétent, pompeux, prétentieux, maladroit, grincheux, râleur, cupide… et absolument impossible à vivre, mais…

Elle prit une grande inspiration.

– Il est tout ce que j'ai.

– C'est décidé ! dit Jean-Michel. Nous partons tout de suite !

– Et tu trouveras une solution, hein ? pleurnicha Norbert. Avant l'heure du dîner ?

– Fais-moi confiance, je suis un super-guerrier !

Avant que Gob le petit gobelin ait eu le temps de se servir de sa petite cuiller, elle s'était échappée de sa poche. Tout en soupirant, elle avait réussi à traverser Gobelinville sans se faire remarquer.

Elle voyagea toute la journée, obéissant à la force qui la poussait en avant. Elle trébuchait parfois, mais se relevait toujours en lâchant un petit soupir et reprenait sa route. Elle escalada les rochers, franchit les flaques de boue, laissant une fine trace de son passage dans le sable et la poussière des chemins.

Arrivée à un carrefour, elle sauta dans une carriole qui transportait de la paille. Elle s'installa, les rayons du soleil faisaient étinceler ses courbes élégantes. Une chauve-souris à plumes l'aperçut et fondit sur elle. L'animal la prit délicatement entre ses pattes griffues et repartit.

La petite cuiller soupira.

De là-haut, elle voyait la Mare odorante, le Lac enchanté, les Montagnes moisies…

Le vent se leva et la cuiller frissonna. La chauve-souris à plumes, surprise, desserra son étreinte et lâcha la cuiller qui tomba, tomba, tomba…

Cling, cling !

Elle avait atterri. Avec un léger soupir, elle se redressa. Devant elle, s'élevaient les hautes portes du château du baron Cornu. Tremblante de hâte, elle sauta aussi haut qu'elle le pouvait pour voir par-dessus les portes…

Partis ! Ils étaient partis !

Ils étaient pourtant venus. Tous ! Elle en était sûre.

En soupirant, elle reprit sa route, se dirigeant cette fois vers les Montagnes moisies.

Les rumeurs de la fête s'estompaient, le soleil se couchait, le mont Boum explosait.

Devant elle, marchaient d'autres voyageurs. Un ogre avec une perruche sur la tête et un jeune super-guerrier et son chien sur les épaules. Ces personnages rappelaient de vagues souvenirs à la petite cuiller. Des sensations plutôt : la chaleur d'une main, la moiteur d'une poche. Oui ! C'était le super-guerrier qui l'avait trouvée quand elle s'était trouvée séparée de sa troupe.

Poussant un nouveau soupir, la petite cuiller sautilla plus vite dans le sillage des quatre individus.

La silhouette massive du dragon se découpait sur fond de soleil couchant. Le monstre se rapprocha du sol et tout en douceur, d'un coup d'ailes, il entra dans sa grotte. Il lâcha son fardeau – clang, aïe ! – et se posa à côté. Il lissa ses épais sourcils.

Une chauve-souris à plumes tournoya au-dessus de lui. Le dragon la grilla d'un jet de flammes sans plus de cérémonie. La chauve-souris à plumes, carbonisée, poussa un piaillement indigné. Le dragon jeta un coup d'œil à l'extérieur de sa grotte et cracha de nouveau le feu pour se débarrasser d'éventuels autres importuns.

Mais il n'y en avait pas.

Pourtant, le dragon se devait d'être prudent. Il reprit son baluchon et s'enfonça plus loin dans le tunnel qui menait à son antre.

La caverne était chaude et enfumée. Des sillons de lave rougeoyante parcheminaient profondément les murs. Un trésor était entassé dans un coin, brillant faiblement dans la semi-obscurité. Le dragon émit un ronronnement satisfait. Il adorait ces casques dorés, ces couronnes incrustées de joyaux, ces épées, ces casseroles, ces boucliers à blason, ces médailles et trophées, ces bracelets et colliers, ces tiares et boîtes de conserve et, surtout, surtout la harpe magique qui bruissait doucement.

Dans la toile rose et mauve, les couverts s'agitèrent.

Le dragon ouvrit son paquet et écarquilla les yeux, émerveillé. Il possédait à présent de magnifiques couteaux, des fourchettes somptueuses, d'adorables petites cuillers et un superbe tranche-œuf. Un tranchoir, également, et des brochettes, ainsi qu'un gaufrier et une pince à sucre... et là... qu'est-ce que c'était que ça ? Il avait des cure-dents plantés dans la barbe... et... oui, c'était un magicien !

Le dragon plissa les paupières, se tapota l'estomac et se lécha les babines avant de pousser un rugissement de contentement.

– Roooooooaaaaarrrrrgggggghhh !

– On ne sait pas, espérait Jean-Michel à voix haute. Peut-être que le dragon va se contenter de jouer avec lui. Comme Henri avec sa balle en caoutchouc...

– Il va le manger, affirma Véronica.

– C'est pas sûr ! rétorqua Jean-Michel.

Véronica soupira.

– C'est plus que probable. Il va être affamé après ce long vol et un magicien sera parfait pour son dîner.

– Ne dis pas ça, Véronica, supplia faiblement Jean-Michel.

– À moins qu'il ne l'ait déjà avalé en route…

– Véronica, tais-toi !

La perruche haussa les épaules.

– C'est toi qui en as parlé le premier, lâcha-t-elle.

– Oui, mais… Aaaaaaaah !

Jean-Michel s'agrippait à l'épaule de Norbert pour ne pas tomber.

– Désolé, s'excusa Norbert. C'était un nid-de-poule !

– Ne t'inquiète pas, Norbert, le rassura Jean-Michel. Tu te débrouilles très bien avec ces bottes. On sera arrivés en moins de temps qu'il n'en faut pour le dire.

Il ajouta en s'adressant à Véronica :

– Il ne part pas perdant, lui, au moins !

– Je pense seulement qu'il vaut mieux se préparer au pire, riposta la perruche.

Norbert renifla bruyamment.

– Tu fais de la peine à Norbert, reprit Jean-Michel. Et tu m'empêches de réfléchir à un plan.

– Oui, bien sûr, lâcha ironiquement Véronica. Alors, comment vas-tu t'y prendre pour tuer ce dragon ?

Jean-Michel se gratta la tête.

– Euh, je pourrais peut-être plutôt lui parler, non ? Discuter avec lui… tenter de le raisonner…

– Raisonner un dragon ! pépia Véronica. Laisse-moi rire ! À moins que Randalf soit l'homme le plus rapide de l'Ouest, ce qui serait une première, il est déjà mort ! Ce dragon peut le réduire en cendres rien qu'en toussotant !

Soudain, couvrant le bruit des roulettes de Norbert, un rugissement résonna.

– Vous avez entendu ? demanda Véronica.

– Entendu quoi ? s'inquiéta Norbert.

Jean-Michel était blanc comme un linge.

– Plus vite, Norbert ! Plus vite ! cria-t-il.

La petite cuiller soupira. Elle trébuchait sans cesse dans les profondes empreintes laissées par l'ogre. De plus, elle était très gênée par la poussière qu'il dégageait en se déplaçant à toute vitesse.

Elle s'arrêta un instant pour reprendre son souffle quand, dans le lointain, elle entendit un rugissement menaçant. Elle trembla de tout son long.

L'ogre et ses passagers s'éloignaient d'elle de plus en plus vite.

Elle reprit sa marche, en soupirant plus profondément que d'habitude.

Dans la caverne, le rugissement du dragon résonnait encore. Les couverts avaient pris place tout en haut du trésor, et s'apprêtaient à reprendre leur concert là où ils l'avaient laissé. Le dragon s'agitait.

Les cuillers claquaient des dents, les couteaux tremblaient. La créature, en se tournant, écrabouilla d'un coup de queue tout un service de fourchettes à dessert. Seule sa célérité (ainsi qu'un couvercle de poêle bien placé) permit à la pince à sucre de s'en sortir indemne.

Pétrifié, Randalf assistait au spectacle. Il s'était pelotonné derrière un gros rocher. La rage du dragon s'envenimait à chaque minute. Le magicien était conscient d'avoir de la chance d'être encore en vie.

Quand il avait transformé le chapiteau rose pétale de la Délicatesse en baluchon, le cou de Randalf n'était pas passé loin.

Il frissonna à cette seule pensée. Les cris des invités du baron ainsi que l'odeur de soufre l'avaient informé qu'il était tombé entre les griffes d'un dragon. Mais rien ne l'avait préparé à la vue saisissante du monstre écailleux qui s'agitait dans la caverne en ce moment même.

Il était gigantesque. Chacune de ses écailles avait la taille d'une poêle à frire ; chacune de ses griffes équivalait à une épée de géant. Le magicien aurait pu passer la tête dans ses naseaux fumants. Sans ôter son chapeau.

Cette fois, le dragon l'avait repéré. Il ouvrit grand les narines. Son estomac gargouilla.

– Iiiiik ! glapit Randalf en prenant ses jambes à son cou.

Le dragon leva la patte pour l'attraper et le rata de peu. Le magicien escalada le trésor et se cacha derrière. De courtes flammes s'échappèrent des naseaux du monstre qui se mit à farfouiller dans son tas de dorures, jetant les objets par-dessus son épaule. Soudain, alors qu'il reniflait pour repérer sa proie, un casque à plume se coinça dans sa narine. Il toussa, cracha, éternua et expulsa violemment le casque contre une paroi de sa caverne.

Randalf se recroquevilla sur lui-même.

– Pourquoi moi ? grogna-t-il. Pourquoi c'est toujours sur moi que ça tombe ? Pourquoi est-ce que je ne suis pas tout bêtement chez moi, avec une tasse de thé dans une main et un gâteau Grobisou dans l'autre ?

Le dragon continuait ses recherches frénétiques, envoyant valser son précieux trésor de tous côtés.

Sans bouger de sa cachette, Randalf jeta un œil. La sortie était de l'autre côté, mais peut-être qu'en restant dans l'obscurité et en se déplaçant silencieusement, il avait une chance de l'atteindre.

Plié en deux, le cœur palpitant, il tenta une échappée. Il se faufila de roc en roc et de crevasse en fissure. La dernière ligne droite était la moins aisée. Il n'y avait rien pour se dissimuler.

– Reste calme, se dit-il. Attends que le dragon regarde de l'autre côté et… maintenant !

Tel un sprinter, le magicien s'élança. Le dragon grogna.

– Tu y es presque ! s'encouragea Randalf. Presque…

– Maître, maître ! cria soudain une voix aiguë.

C'était la harpe magique.

– Il est là, je le vois, je le vois ! Le gros magicien !

Le dragon fit demi-tour, les yeux flamboyants, les griffes en avant. Randalf trébucha et s'étala sur le sol, comme une souris échassière nouvellement née. Trop terrifié pour faire un mouvement, il resta dans une position inconfortable et ridicule, alors que le dragon s'approchait de lui en claquant des mâchoires.

– Roooooooaaaaarrrrrgggggghhh !

– Ooooh ! J'ai entendu cette fois, dit Norbert.

Jean-Michel prit une grande inspiration.

– On s'approche !

Norbert frissonna.

– Le dragon a pas l'air de bonne humeur.

– Ou alors, c'est qu'il est affamé. Peut-être que nous n'arrivons pas trop tard, finalement, lâcha Véronica.

– Très spirituel ! la gronda Jean-Michel.

– Ah, ce bon vieux Randalf, reprit la perruche sans s'émouvoir. Avec lui, le dragon en aura pour son argent.

Norbert s'assit soudain par terre et dérapa sur le fond de son pantalon. Jean-Michel cria, Henri aboya et Véronica piailla.

– Désolé, c'est le seul truc que j'ai trouvé pour m'arrêter, dit Norbert.

– Oui, mais pourquoi nous sommes-nous arrêtés ? demanda aigrement Véronica en se lissant les plumes.

– À cause de ça !

Norbert tendait son gros doigt devant lui. Il désignait l'entrée d'une caverne percée dans la montagne.

– De la fumée… murmura Véronica.

– Et des empreintes, compléta Jean-Michel.

Henri agita la queue et aboya.

– C'est là, mon chien ? Est-ce que c'est là que se trouve Randalf ? lui demanda Jean-Michel.

Un nouveau rugissement, plus étouffé cette fois, les fit frissonner. Henri aboya de nouveau.

– Que ce dragon soit en colère ou affamé, remarqua Norbert d'une voix tremblante, il a l'air très dangereux.

Véronica hocha la tête.

– Tu es sûr de toi, Jean-Michel ? Personne ne t'en voudra si tu changes d'avis…

Le garçon serra les poings.

– Il faut que j'y aille ! Sans Randalf, je suis coincé ici pour toujours.

– Il y a des endroits pires, nota Véronica. L'estomac d'un dragon par exemple.

Voyant qu'elle n'entamait pas la détermination de Jean-Michel, elle ajouta :

– Si tu y vas, j'y vais !

– Moi aussi, déclara Norbert. J'enlève d'abord mes bottes.

– Merci, dit Jean-Michel. Merci à tous.

Henri aboya.

– La victoire ou la mort ! couina Véronica.

– Tout va bien se passer, marmonna Jean-Michel pour lui-même. Je me suis déjà occupé d'un ogre et je n'ai pas eu de problème. Randalf lui-même l'affirme toujours : « Il suffit de bluffer. Montre-lui qui est le patron ! »

Il essuya la sueur qui perlait sur son front.

– Mais un dragon… Un monstrueux dragon qui crache le feu !

Un nouveau nuage de fumée s'échappa de l'entrée de la caverne. Plus épais que le précédent.

Prenant son courage à deux mains, Jean-Michel avança.

Arrivé devant l'entrée, il entendit des grognements sourds et une petite voix suppliant qu'on lui laisse la vie sauve.

– Monsieur le dragon, je vous en prie, s'il vous plaît, reposez-moi par terre, gentil dragon, gentil ! implorait Randalf.

Le dragon le tenait par le fond de la culotte entre ses griffes acérées. Il pointa une langue fourchue et lécha le visage du magicien. Ses yeux s'agrandirent et il ouvrit la mâchoire…

– Non, non ! hurla Randalf. Ne me mange pas ! Pfou ! Berk ! Je ne suis pas bon ! Poison ! Bah ! Dégoûtant !

Le dragon regarda sa proie avec curiosité et se lécha les babines. À l'entrée de la gueule béante du monstre, Randalf sentit une chaleur insupportable.

– Pitié, gémit-il. Tu ne peux pas me manger ! Je suis un magicien, quand même !

Ce qui restait de l'orchestre de couverts entama une marche funèbre.

Soudain, une voix claire et forte lança de l'extérieur de la caverne :

– Je suis Jean-Mi le Barbare ! Dompteur d'ogres, ami des magiciens et champion du baron Cornu ! Et je vous informe que manger les gens… euh… Ce n'est pas bien !

À peine les mots eurent-ils franchi sa bouche que Jean-Michel les regretta. À quoi pensait-il ? Après tout, un dragon est un dragon. C'était stupide de lui faire la morale.

Il y eut un craquement et la tête du dragon apparut. Ses yeux jaunes se fixèrent sur le garçon, la perruche, l'ogre pas si grand et le chien au poil broussailleux qui se tenaient devant sa caverne.

Il grogna, laissant échapper un rond de fumée.

Jean-Michel essayait de s'empêcher de claquer des dents. Ce n'était pas le moment de se laisser aller.

– Prends garde, puissant dragon ! cria-t-il. Je suis Jean-Mi le Barbare et je suis venu t'affronter avec mon armée : Henri le... le... Féroce et Norbert le Pas... euh... Norbert le Pas-facile-à-calmer-quand-il-s'énerve !

Il donna un coup de coude à Norbert, qui se força à pousser un grondement moyennement convaincant.

Le dragon haussa un sourcil.

– Et il n'est pas seul, se hâta de reprendre Jean-Michel. Toute une armée d'ogres très, très en colère nous accompagne !

Le dragon haussa le second sourcil et avança la tête pour jeter un œil alentour.

– Vous ne pouvez pas les voir, dit Jean-Michel. Ce sont des spécialistes en camouflage. Mais ils sont là, derrière les rochers. Armés jusqu'aux dents. Ils n'attendent qu'un mot pour se jeter sur vous.

Le dragon fredonnait à présent une chanson en battant la mesure du bout de la patte.

– Et ce n'est pas tout, continua Jean-Michel, désespéré. J'ai aussi des perruches !

– Uuunnh ? grogna le dragon.

– Oui, des perruches d'attaque ! C'est mon armée volante ! J'ai sous mes ordres une douzaine d'escadrons !

– Entraînées au combat et au mieux de leur forme, ajouta Véronica en bombant le torse. Nous sommes vicieuses, sans pitié, et nous ne faisons pas de prisonniers.

Elle essaya de prendre une voix grave :

– Tu t'attaques à un de mes escadrons, ils te… te… massacrent !

– Te voilà prévenu, dragon ! s'exclama Jean-Michel. Mon armée et moi-même sommes prêts.

Il fit tournoyer son bras d'un air menaçant.

– Libère le magicien et il ne te sera fait aucun mal !

Le dragon semblait ne pas en croire ses yeux ni ses oreilles.

– Il ne me sera fait aucun mal ? Ben non, ça c'est sûr ! dit-il.

– Il parle ! murmura Jean-Michel à Véronica.

Véronica hocha la tête, pas le moins du monde impressionnée.

– Les dragons sont d'excellents imitateurs, dit-elle. Comme les perroquets et les oiseaux dodos quand ils veulent bien se donner la peine. Il est gentil, le dragon, hein ? Il est gentil !

– Véronica, tais-toi ! souffla Jean-Michel avant de demander à l'énorme bête :

– Où est Randalf ?

Il essaya de gonfler sa voix au maximum, mais fut pris d'un doute.

– On n'arrive pas trop tard ? Vous ne l'avez pas déjà mangé ?

Le dragon partit d'un grand rire qui découvrit ses dents acérées.

– Randalf ! C'est ainsi qu'il s'appelle ? Non, mon grand, non, je n'ai pas la moindre envie de manger un type avec un nom aussi ridicule !

Jean-Michel poussa un soupir de soulagement.

– Puisque vous êtes là, vous feriez mieux d'entrer, poursuivit le dragon. Je ne veux pas qu'on dise dans le voisinage que Margot ne sait pas recevoir ses invités. Venez ! Venez !

C'était une dragonne et elle n'avait pas l'intention de dévorer Randalf.

Jean-Michel jeta un regard interrogateur à Véronica, qui se tourna vers Norbert qui regarda Henri... qui s'engouffra dans la caverne en aboyant et en remuant la queue. Les autres le suivirent.

– C'est typique ! riait la dragonne. Vous, les super-guerriers, vous ne pensez qu'à tuer et vous tirez tout de suite des conclusions.

Derrière elle, les couverts cliquetaient. Elle éleva la voix pour se faire entendre.

– Vous pensez que je n'ai qu'une envie : dévorer tout le monde ! Enfin, voyons, c'est si... commun...

Cling ! Clang ! Clong !

– En réalité, neuf fois sur dix, je préfère une bonne tasse de thé et des boudoirs...

La musique des couverts était devenue assourdissante. La dragonne se retourna, furieuse.

– Oh, calmez-vous ! cria-t-elle.

Elle ferma les paupières.

– Je crois que je vais avoir une terrible migraine.

Les couverts obéirent aussitôt. Jean-Michel, bouche bée, regardait le désordre indescriptible qui régnait dans la vaste caverne. Puis son regard s'arrêta sur l'étrange orchestre de couteaux, fourchettes et cuillers.

– Que se passe-t-il ? se demanda-t-il.

Ils s'agitaient de nouveau dans tous les sens et recommençaient à jouer très fort.

Cling, clang, clong ! Cling, clang, clong !

La dragonne porta son doigt griffu à sa bouche.

– Taisez-vous ! Je ne veux plus avoir à vous le dire !

Une nouvelle fois, les couverts se calmèrent. Sans pour autant devenir totalement silencieux. Mais Jean-Michel entendit un son qu'il n'avait pas encore repéré : des grognements étouffés qui venaient de quelque part, près du mur.

– Grrrrmmmmbbll, frrmbl ! Broumf !

Jean-Michel plissa les yeux pour percer l'obscurité. À une dizaine de mètres de lui, assis par terre, une silhouette trapue, voire boudinée, essayait de se débarrasser d'un seau coincé sur sa tête.

– Randalf ? demanda-t-il. C'est vous ?

– Ouimmpffrr ! Grouimpf ! grommela la voix.

– Norbert ! appela Jean-Michel. Viens m'aider. Tiens-lui les pieds et tire à mon signal. Prêt ?

Il avait lui-même saisi le seau.

Norbert acquiesça.

– Prêt !

– Tire ! cria Jean-Michel.

Dans un premier temps, à part un long cri de douleur étouffé par le seau, il ne se passa rien.

– Encore une fois ! dit Jean-Michel.

Cette fois, pendant que Norbert tirait sur les jambes du magicien, Jean-Michel tourna le seau. Il y eut un bruit de bouchon et Norbert tomba par terre. Jean-Michel trébucha en arrière, le seau dans les mains. Randalf, assis entre eux, clignait des yeux.

– Ouaaaah ! hurla-t-il en voyant Margot. Elle a essayé de me manger !

La dragonne secoua la tête.

– Typique ! Je l'avais bien dit !

– Elle a essayé de me manger, insista Randalf. Elle voulait me dévorer tout cru. Si vous n'étiez pas arrivés…

– J'étais seulement curieuse, expliqua Margot à Jean-Michel. Je l'ai pris avec ceux-là.

Elle désignait les couverts.

– J'ai cru que c'était un lot-surprise.

– Un lot-surprise ? s'écria Randalf, vexé.

– Mais il n'arrêtait pas de gigoter, poursuivit la dragonne. Je l'observais et il m'a échappé. Il est tombé la tête la première dans ce seau. C'était entièrement votre faute, ajouta-t-elle à l'adresse de Randalf. Mais si vous vous tenez tranquille, maintenant, je vais prendre la peine de me présenter. Mon nom est Margot…

– Un lot-surprise ! lança Randalf, toujours indigné.

Les couverts avaient recommencé à jouer très fort. La dragonne se prit la tête dans les pattes.

– Cette fois, je l'ai, la migraine !

Cling ! Clang ! Clong !

Randalf pinça les lèvres.

– Un lot-surprise ! Je vous ferai remarquer, chère madame, que je suis un magicien. Je me nomme Randalf le Sage. Je suis le meilleur magicien de la contrée, si vous voulez le savoir, et je vis au Lac enchanté.

– Vous êtes surtout le seul qui reste, intervint Véronica.

– Véronica, tais-toi ! lui ordonna Randalf.

– Un magicien ?

La dragonne semblait intéressée.

– Peut-être que vous pourriez faire quelque chose pour les calmer…

Randalf haussa les sourcils.

– La magie n'est pas un art aussi aisé que vous semblez le penser. Ces couverts ont été enchantés, c'est évident. Des forces obscures et puissantes sont à l'œuvre en ce moment même, j'en suis certain.

– Ouais, approuva Véronica. Et même que je parie que je sais qui est le responsable !

– Véronica, tais-toi, la rembarra Randalf. Comme je le disais, la magie nécessite de longues années d'études et d'entraînement. Mais vous avez de la chance, car voyez-vous, je suis un spécialiste.

– De la chance, tu parles ! commenta sarcastiquement Véronica.

– Véronica, je te préviens ! se fâcha Randalf avant de se tourner vers Margot. Dites-moi tout ce que vous savez sur ces couverts.

– Ils sont apparus devant ma caverne. Ils m'ont réveillée avec leur musique enchantée. Je les ai poursuivis et j'ai enfin réussi à les attraper. Sauf que maintenant, je regrette...

– Y a pas que vous, marmonna Randalf en frottant ses membres endoloris.

Les couverts faisaient de nouveau régner un vacarme de tous les diables dans la caverne.

– Ils sont si bruyants, se plaignit Margot. Je ne vais jamais réussir à me rendormir.

– Dormir ? s'étonna Randalf. Je croyais que vous veniez juste de vous réveiller.

– Au cas où vous ne le sauriez pas, le renseigna Véronica, les dragons passent 99 % de leur temps à dormir et le reste à courir après les trésors... si on peut appeler ça des trésors, termina-t-elle en regardant les détritus qui jonchaient le sol de la caverne.

La dragonne, vexée, dressa les oreilles.

– Pardon ?

– On se croirait dans une décharge, dit Véronica.

Deux nuages de fumée s'échappèrent des naseaux du dragon.

– Comment osez-vous ? Vous parlez de ma propriété, de mes trésors, de mes précieux biens…

– Précieux, hein ? Comme ce seau, par exemple ? lâcha Véronica.

– Un seau ? s'écria Margot férocement.

Elle ramassa l'objet entre deux griffes.

– C'est ce que vous appelez un seau ! Vous n'avez donc aucun goût ! Vous ne savez pas reconnaître de l'art quand vous en voyez ? C'est le pot de chambre du prince de Thrynne, qui n'est vidé qu'une fois tous les cent ans.

– Berk ! s'étrangla Randalf en se passant la main dans les cheveux et la barbe.

– « Berk » ! s'indigna Margot. « Berk » ! C'est tout ce que vous trouvez à dire pour traduire votre admiration !

– C'est un pot de chambre ! protesta Randalf. Et il était sur ma tête !

– Et apparemment, il n'était pas complètement vide, observa Véronica.

– Il est très beau, dit Jean-Michel en essayant de calmer tout le monde. D'ailleurs, vous avez beaucoup de belles choses.

La dragonne se radoucit.

– N'est-ce pas ? roucoula-t-elle. Et vous avez manifestement du goût, jeune homme. Il m'a fallu des années pour constituer cette collection. J'ai un bouclier en argent, une couronne incrustée de pierreries…

Elle souriait fièrement. Puis…

Cling ! Clang ! Clong !

… Son regard se posa sur les couverts.

– Hé vous, les louches ! cria-t-elle. Arrêtez de taper sur ce plastron d'armure !

Elle leva les yeux au ciel.

– Décidément, je ne sais plus quoi faire !

Jean-Michel hocha la tête.

– … Et vous possédez d'autres trésors inestimables ? demanda-t-il.

– Bien sûr, mon cher, bien sûr ! s'enthousiasma de nouveau la dragonne. Des miroirs magiques, des épées enchantées, des armures d'invincibilité… mais la pièce maîtresse…

Elle farfouilla dans la pile.

– Où sont-ils ? marmonna-t-elle.

Elle s'arrêta et soupira.

– Je dois reconnaître que je suis très désorganisée.

– Que cherchez-vous ? demanda Jean-Michel en s'approchant pour l'aider.

– Oh, c'est très particulier. Il faut avoir un œil de collectionneur pour les remarquer, s'emballa Margot. Ils sont merveilleux !

Randalf tapa du pied impatiemment.

– Oui, vous devez avoir raison, mais je crois que nous devrions nous occuper de…

– C'est pas ça ? s'exclama Norbert en brandissant deux boîtes de conserve cabossées.

Les yeux de la dragonne s'éclairèrent.

– Ouiiiii ! Les voilà ! Vous avez un merveilleux œil de collectionneur ! Euh… trois yeux de collectionneur, se reprit-elle.

Norbert sourit jusqu'aux oreilles.

Cling ! Clang ! Clong !

– Admirez ce travail d'orfèvre ! cria Margot pour couvrir le bruit des couverts. C'est si subtil, si expressif. Et quand on pense qu'au départ, ce n'étaient que des lentilles en boîte ! C'est à vous couper le souffle !

– Oui... elles sont très belles, balbutia Jean-Michel.

– C'est vrai, approuva Norbert. Vous ne devriez pas les laisser traîner. Pour les mettre en valeur, faudrait les exposer dans une vitrine ou une bibliothèque... mais de toute façon, vous devriez mettre un peu d'ordre chez vous.

Margot haussa les sourcils.

– Vous croyez ?

– J'en suis sûr ! affirma Norbert. C'est comme ça que je fais dans ma cuisine, à la maison. J'ai un système de rangement. Un crochet pour chaque poêle et chaque casserole. Vous savez que les poêles sont très pratiques pour assommer les elfes. Vous, vous devriez faire des piles.

– Oh, quelle suggestion alléchante ! s'exclama Margot.

Norbert leva théâtralement les bras.

– Ici, vous installeriez une pile d'objets rouillés, là une pile d'objets pointus et de ce côté...

Il regarda la pince à sucre qui s'agitait.

– ... de ce côté, les objets bruyants.

– Pas trop bruyants, j'espère, soupira Margot.

– Et là, poursuivit Norbert, vous pourriez faire une pile d'objets brillants !

– Mais vous êtes un artiste ! roucoula Margot. Un véritable artiste !

Au château du baron Cornu, la fête avait pris fin brutalement. Après toute l'excitation provoquée par l'arrivée du dragon, plus personne n'avait le cœur à s'amuser.

– Quelle journée ! soupira Benson.

– C'est sûr ! approuva un aide-jardinier en enlevant des brindilles taillées de ses cheveux.

– Je me demande quelle mouche a piqué ces couverts... reprit Benson. Et ce dragon.

– Le dernier dragon que j'ai vu s'appelait Gretchen, dit l'aide-jardinier. C'était il y a une dizaine d'années...

– Et regarde-moi cette pagaille.

Le stand des caramels était écroulé, les jarres d'odeurs cassées, les boîtes de maquillage écrasées par terre, et les trolls avaient volé toutes les betteraves qui n'avaient pas été piétinées. Du côté des doudous d'ogre, les petits animaux couraient dans tous les sens et le cochonnet rose puant furetait à la recherche de sa queue.

Le baron Cornu déambulait dans la cour, enjambant les débris en marmonnant :

– C'est un fiasco intégral ! C'est un désastre ! Tous les invités sont partis ! Ingrid est hystérique.

Il épongea son front en sueur.

– Au moins, ça ne peut pas être pire.

– Norbert ! s'énerva Randalf.

L'ogre était très occupé à mettre de l'ordre dans la caverne.

– Norbert ! répéta-t-il. Nous devons y aller !

– Hé, vous ! Je croyais que vous deviez m'aider à m'occuper de ces couverts à musique !

Margot fixait le magicien de son regard jaune.

– Oui, bien sûr... bafouilla aussitôt Randalf en tremblant de la tête aux pieds.

Il eut un mouvement de recul et mit le pied dans le pot de chambre de Thrynne.

– Bon sang ! jura-t-il.

– Bon sang ? lança Véronica. C'est une nouvelle incantation ?

– Véronica, tais-toi ! la rabroua Randalf en essayant de se débarrasser du pot.

– T'approche pas trop, haleine de pot de chambre, lui lança méchamment la harpe magique.

– Bon ! s'exclama gaiement Margot. Au travail ! Toi, Jean-Michel, tu t'occupes de la pile des objets de guerre.

– Les épées, les lances et les armures magiques ? demanda Jean-Michel, tout excité.

– Oui, oui, dit Margot.

Elle se tourna vers Véronica.

– Toi, tu te charges des objets rouillés.

– Merci beaucoup, lâcha ironiquement Véronica.

– Et Norbert et moi, on prend les objets brillants !

L'ogre applaudit.

– Génial ! J'adore les objets brillants !

À ce moment, les couteaux passèrent en dansant et cliquetant sur un rythme endiablé. La dragonne hurla :

– Randalf ! Je vais craquer ! Fais quelque chooooose !

Dans son coin, Randalf se battait encore avec le pot de chambre.

– Un peu de patience ! dit-il. Cet enchantement est très puissant, nous devons nous montrer prudents… Et zut !

Son pied était vraiment bien coincé.

– Encore une nouvelle incantation, lâcha Véronica au-dessus de sa tête.

– Véronica, tais-t…

Il leva les yeux et se tut. Véronica avait trouvé, dans une anfractuosité de la roche, une vieille cage rouillée.

– Elle est chouette, hein ? lui lança la perruche. Il y a une petite balançoire et une clochette. Et même un miroir !

Elle sourit à son reflet.

– Pour quand j'ai envie de croiser un regard amical…

– Véronica, dit Randalf aigrement. Les cages sont pour les

canaris. Rappelle-toi qui tu es ! Tu es l'animal de compagnie d'un magicien ! Et pas n'importe quel magicien ! Ta place est sur mon chapeau !

– Vous n'avez qu'à installer un miroir sur votre chapeau ! protesta Véronica. Ou une clochette !

– Véronica ! ordonna Randalf. Chapeau ! Tout de suite !

– Ou une balançoire, ajouta Véronica.

– Véronica !

– C'est encore vous qui embêtez tout le monde ? grogna Margot en toisant Randalf. Vous faites du bruit alors que j'ai mal à la tête ! Attention, je vais me mettre en colère !

– Euh… je suis juste en train de chercher un sort, bredouilla Randalf.

– Très bien, alors continuez ! Mais en silence !

Margot se tourna vers Norbert.

– Où en sommes-nous, très cher ? Oh ! C'est ravissant ! Vous avez aligné toutes les boîtes de conserve. C'est superbe. Elles sont étincelantes, n'est-ce pas ?

Jetant un regard noir à Véronica, Randalf traversa la caverne à grandes enjambées vers les couteaux qui avaient attaqué une samba. Il commença à agiter les bras et à marmonner dans sa barbe.

Pendant ce temps, Jean-Michel ramassait toutes les épées, les casques – à plumes ou non –, les lances, et les entassait soigneusement dans un coin de la caverne. Henri aboyait gaiement près de lui.

– Est-ce que je peux essayer une des armures ? demanda Jean-Michel.

Il tenait un magnifique casque argenté, orné de cornes à la courbe élégante.

– Bien sûr, mon garçon, lui répondit Margot. Les objets guerriers m'ennuient. Ils ne sont jamais assez brillants à mon goût. Prends ce que tu veux.

– Merci, dit Jean-Michel en souriant jusqu'aux oreilles.

Au moins, s'il était obligé de rester encore un peu au Marais qui pue, il aurait l'air d'un super-guerrier convaincant.

– J'avais oublié que je possédais de telles merveilles, roucoulait Margot.

Jean-Michel essaya un plastron d'armure en bronze.

– Combien de temps avez-vous dormi ? demanda-t-il.

– Oh, très peu de temps ! Une vingtaine d'années, je pense, répondit Margot.

– Une vingtaine d'années !

– Oui. Nous, les dragons, avons besoin de beaucoup de sommeil pour garder un teint frais. Cela dit, vingt ans, ce n'est rien. Matilda, qui habite un peu plus loin, dort depuis deux fois plus de temps. Et on n'a pas vu Jean-Roger depuis une centaine d'années. En ce qui me concerne, si ces satanés couverts ne m'avaient pas réveillée…

Cling ! Clang ! Clong !

Margot soupira.

– Ils sont très brillants mais vraiment trop bruyants !

– Vous pouvez répéter ? grogna la harpe enchantée.

Jean-Michel ramassa une épée sertie de pierreries.

– Est-ce que tous les dragons possèdent un trésor ?

– Bien sûr, mon garçon, bien sûr. Les dragons adorent les bibelots. C'est tout ce qui nous intéresse dans la vie. Ça et une brebis de temps en temps.

Margot soupira.

– Mais toutes ces histoires que l'on raconte sur nous ! Nous brûlerions des châteaux, nous servirions de destriers à de preux chevaliers, nous dévorerions des princesses toutes crues… Quelles bêtises !

Jean-Michel acquiesça.

– Et tous ces super-guerriers qui viennent pour nous massacrer ! continua Margot. C'est une honte, si vous voulez mon avis.

– Comment osez-vous ! Arrêtez ça tout de suite ! cria soudain la harpe. Laissez-moi tranquille !

Une douzaine de couteaux à beurre et un service de cuillers à soupe essayaient de gratter ses cordes.

La dragonne envoya aussitôt un jet de fumée brûlante dans leur direction. La harpe perdit connaissance. Les couteaux et les cuillers détalèrent et se réunirent autour des chandeliers en cliquetant sauvagement.

– En parlant de super-guerrier, Jean-Michel, reprit Margot, pourquoi ne me débarrasses-tu pas de ces insupportables couverts ?

– En fait, avoua Jean-Michel, je ne suis pas un vrai super-guerrier !

– On ne s'en serait pas douté, comme ça, hein ? ricana Véronica qui se balançait doucement dans la cage.

– Randalf m'a fait apparaître ici et il m'a promis de me renvoyer chez moi dès qu'il le pourrait. C'est pour ça que je suis venu. Je ne pouvais pas le laisser se faire dévorer par un dragon... même si je sais maintenant que ce n'est pas votre genre, se hâta-t-il d'ajouter.

Margot hocha la tête.

– Oui, bien sûr, bien sûr. Mais mon pauvre Jean-Michel, tu es donc seul loin de chez toi...

Cling ! Clang ! Clong !

La dragonne se retourna vers Randalf en grognant :

– Dépêchez-vous de trouver une solution, ma tête va bientôt exploser.

Le magicien secoua la tête.

– Je vous l'ai déjà dit. Les couverts enchantés sont très difficiles à faire déchanter.

– Et vous vous prétendez magicien ! dit Margot d'un ton méprisant.

Elle ajouta en s'adressant à Jean-Michel :

– Je ne parierais pas sur tes chances de quitter un jour cette contrée.

– Pour Jean-Michel, il n'y a pas de problème, riposta Randalf. Mais le sort jeté sur ces couverts est l'œuvre d'un expert en la matière. Je dois retourner chez moi et consulter mes grimoires. D'ailleurs, nous allons partir immédiatement. Bonne journée à vous !

– Oh non !

Margot bloqua la porte d'entrée de sa longue queue.

– Que signifie ? s'indigna Randalf.

– Norbert a été un amour, Jean-Michel s'est comporté en parfait gentleman et cette perruche d'attaque semble plutôt gentille, mais…

Cling ! Clang ! Clong !

–… mais aucun d'entre vous ne quittera ma caverne avant que ces couverts se soient tus et que je me sois rendormie. Débrouillez-vous ! Prenez le temps que vous voudrez ! Je ne veux plus entendre ce bruiiiiiit !

Un vent froid soufflait dans le bois des Elfes. Trois lapins arboricoles perchés sur des branches basses se blottissaient les uns contre les autres. Des chauves-souris à plumes, accrochées, la tête en bas, aux immenses jujubiers, se balançaient d'avant en arrière en poussant leur cri reconnaissable entre tous :

– Aïe ! Ouille !

Une silhouette voûtée, capuchonnée, avançait à pas rapides entre les arbres. Ses bottes s'enfonçaient profondément dans la boue du chemin. L'homme était en sueur malgré le froid.

Il s'approcha d'une clairière, qui s'appelait la Clairière gloussante, où se dressait une petite maison de rondins, aux fenêtres joliment peintes.

Le vent hululait ; les volets bleus claquaient, les tuiles ondulaient. À l'intérieur de la maison, assis sur un trône lourdement sculpté, le docteur Câlinou attendait.

– Bientôt, gloussa-t-il. Très bientôt !

La porte s'ouvrit. Le docteur Câlinou sourit.

– C'est toi, Quentin ?

– Oui, maître, haleta Quentin en refermant la porte. Bon sang ! Quelle tempête ! Je suis épuisé.

– Épuisé ! gloussa le docteur Câlinou, très bien ! Et j'espère que tu apportes de bonnes nouvelles.

Quentin ôta sa capuche, recoiffa de la main ses boucles blondes et lissa sa magnifique moustache.

Le trône baignait dans l'obscurité. Seuls les yeux étonnamment bleus du docteur Câlinou étaient visibles. Grands ouverts, ils scintillaient dans le noir. Quentin sentit ses genoux trembler.

– Eh bien ? reprit le docteur Câlinou. Je suppose que le baron Cornu a disparu à l'heure qu'il est.

Il gloussa de nouveau.

– Je suis sûr que notre ami à écailles a apprécié ce petit en-cas !

Son gloussement devint plus aigu.

– Lui a-t-il broyé les os ? L'a-t-il dépecé membre par membre ?

Quentin courba la tête.

– En fait, messire, je dois vous annoncer que…

Les yeux se rétrécirent.

– Eh bien ?

Quentin avait une boule dans la gorge. Il prit une grande inspiration :

– Le plan ne s'est pas tout à fait déroulé comme prévu…

– Explique-toi !

– Il y a eu une petite confusion durant la fête. Le dragon a dévoré la mauvaise personne.

– La mauvaise personne ?

– Tout s'est décidé au dernier moment, je n'ai rien pu faire…

– Qui est cette personne ?

Le docteur semblait furieux à présent.

– Cette espèce de m… ma… magicien, bégaya Quentin. Randalf… Randalf le Sage…

– J'aurais dû m'en douter, murmura le docteur Câlinou en tapotant l'accoudoir de son trône du bout des doigts. Pourquoi s'acharne-t-il toujours à fourrer son gros nez dans mes affaires ?

Quentin se permit un petit sourire.

– À mon avis, il ne le fourrera plus nulle part, son gros nez !

Le docteur Câlinou gloussa :

– Oh, j'espère bien ! Mais le problème du baron Cornu reste entier !

– Plan B, maître ? suggéra Quentin.

– Plan B, confirma le docteur Câlinou.

Il frappa dans ses mains et fit apparaître une dizaine d'elfes.

– Allez me chercher Roger le Plissé ! ordonna-t-il.

– Tout de suite, maître, pépièrent les elfes en partant immédiatement.

Quentin était soulagé que le docteur Câlinou n'ait pas trop mal pris la nouvelle. Il enleva sa cape et l'accrocha à la patère de la porte.

– Que diriez-vous d'un bon gâteau Grobisou ? proposa-t-il. J'en ai préparé un exprès pour vous, et…

– Quentin, coupa le docteur Câlinou, ce n'est pas le moment de manger des gâteaux !

– Euh… non, bien sûr, maître. Bien sûr, pardonnez ma stupidité.

La porte du fond s'ouvrit et les elfes entrèrent. Ils tenaient une longue chaîne, au bout de laquelle était attaché un homme au visage très, très ridé, pour ne pas dire plissé : Roger le Plissé. Du haut de son grand front dégarni, jusqu'à la pointe de son menton pointu, sa peau faisait des plis. Ses oreilles étaient plissées, ses joues, son nez et même ses plis étaient plissés.

– Comment osez-vous me traiter de la sorte ? se plaignit le vieil homme d'une voix forte. Je ne peux absolument pas travailler dans ces conditions !

– Bon sang, ce que vous êtes plissé ! s'exclama le docteur Câlinou. À chaque fois, ça me fait bizarre !

– Et à qui la faute ? le rembarra Roger. Je suis enfermé dans cette pièce minuscule toute la journée. Et maintenant vous m'enchaînez !

– C'est votre faute, dit Quentin. Vous n'avez qu'à arrêter de vous échapper.

– Je vous ai déjà expliqué que j'essayais juste de me dégourdir les jambes !

– Vous couriez, lui rappela Quentin.

– Un besoin pressant ! Vous savez ce que c'est…

– Vous étiez déguisé en femme de ménage, renchérit Quentin.

– Cela aussi, je l'ai expliqué, repartit Roger, d'une voix cependant moins assurée. Tout a commencé quand j'étais petit. Je prenais les habits de ma mère et…

– Peu importe ! intervint le docteur Câlinou. Je vous ai fait venir pour discuter d'une importante affaire concernant…

–… le baron Cornu, termina Roger le Plissé.

– Vous lisez dans mes pensées, gloussa le docteur Câlinou.

Le magicien ridé hocha la tête.

– Je suis sûr que les couverts enchantés vous ont donné entière satisfaction.

– Oui, répondit le docteur. Mis à part un petit souci…

– Un petit souci ?

– Oui, assez amusant, en réalité, gloussa hystériquement le docteur. Les couverts ont bien emmené le dragon jusqu'au chapiteau installé par Quentin comme nous l'avions prévu, mais sous le chapiteau se trouvait la mauvaise personne.

Roger fronça les sourcils, ce qui eut pour effet de plisser son front deux fois plus.

– La mauvaise personne ?

– Ça va maintenant ! s'agaça le docteur Câlinou. Arrêtez de répéter tout ce que je dis. On dirait qu'il y a de l'écho.

– De l'écho ? dit Roger.

Le gloussement du docteur Câlinou tournait à la rage.

– J'ai décidé de passer au plan B.

Le vieux magicien devint blanc comme un linge.

– Oui, gloussa le docteur. Les armoires volantes.

– Mais rien n'est prêt, lança Roger. C'est trop dangereux… c'est…

– Mon cher Roger, le coupa Câlinou, j'espère que je ne vais pas, une fois de plus, être obligé de chauffer le caleçon de métal ?

Roger recula d'un pas.

– Non, pas le caleçon, s'il vous plaît, pas le caleçon ! C'est juste que…

– Juste que quoi ? tonna le docteur Câlinou.

– Eh bien, faire voler les armoires n'est pas un problème, expliqua Roger, mais le montage est un véritable casse-tête chinois. Les notices sont incompréhensibles et il reste toujours une vis dont je ne sais pas quoi faire…

– Assez ! Je ne veux plus entendre d'excuses ! rugit le docteur Câlinou.

Il frappa dans ses mains, les elfes sursautèrent.

– Allez me chercher le Grand Grimoire.

– Tout de suite, maître, pépièrent les elfes en sortant tous par des portes différentes.

– … Et je ne vous parle pas des échardes qu'on se met dans les doigts, continuait Roger.

– Taisez-vous ! lui ordonna le docteur Câlinou. Je vous autorise à jeter un œil dans le Grand Grimoire, mais attention, je vous surveille ! Nous enverrons les armoires dès ce soir !

– Mais…

Le docteur Câlinou gloussa.

– J'ai une confiance absolue en vos pouvoirs, Roger. Vous et vos amis magiciens n'avez pas intérêt à me décevoir, sinon…

Roger se trémoussa nerveusement.

– Le caleçon ? souffla-t-il.

Câlinou hocha la tête.

Le souffle court, les elfes revinrent, chargés d'une lourde boîte de bois qu'ils portèrent jusqu'au trône.

– Le Grand Grimoire, maître, annoncèrent-ils en chœur.

– Posez-le sur le pupitre, dit le docteur. Et quand Roger aura lu le sort approprié, vous le ramènerez sans le détacher dans sa geôle.

Il se tourna vers le magicien.

– Et pas de coups tordus ! gloussa-t-il. Compris ?

– De coups tordus ? répéta Roger. Je ne vois pas de quoi vous parlez.

Les yeux bleu acier lancèrent des étincelles.

– Attention, Roger le Plissé, je vous surveille !

La petite cuiller arrivait presque au terme de son épique voyage. En apercevant la grotte, elle soupira, trébucha, se rattrapa et soupira de nouveau.

Dans un léger cliquetis, elle sautilla jusqu'à l'entrée.

Le soleil descendait à l'horizon et l'intérieur de la grotte était extrêmement sombre. La petite cuiller s'arrêta et s'appuya contre une paroi.

Elle entendait du bruit. Qui venait du bout du tunnel. Des cliquetis. Des cliquetis familiers.

Et des voix…

– Je ferai ce que vous voudrez, hurlait la première, mais faites-les taire !

– Je fais tout ce que je peux ! répondit la deuxième.

– Et c'est pas peu dire, lança une troisième.

La petite cuiller reprit sa marche.

Cling ! Cling ! Cling !

Elle sautait par-dessus les petits rochers et les petits os. Elle se rapprochait du but. Soudain, le tunnel s'arrêta et la petite cuiller se retrouva dans une immense caverne souterraine. Elle reconnut les individus qu'elle avait repérés à la sortie du château. Ils lui tournaient le dos. Et derrière, le dragon...

Poussant un léger soupir, la petite cuiller avança.

C'est la pince à sucre qui l'aperçut la première. Elle poussa de façon insistante un gobelet d'argent qui se trouvait près d'elle. Puis les autres couverts la virent aussi. Les couteaux s'agitèrent, les cuillers sautillèrent et les fourchettes tournèrent sur elles-mêmes. De tous les coins de la caverne, les louches, les hachoirs, les brochettes et même le tranche-œuf se précipitèrent vers la petite cuiller.

– C'est pas vrai ! grogna la dragonne. Qu'est-ce qui se passe encore ?

– Je tente un contre-enchantement, annonça Randalf en agitant les bras dans tous les sens. Avec double passe et sinusoïdes ! Il me faut un silence absolu !

– Pas de chance ! grommela Margot. C'est de pire en pire !

– Oui, mais écoutez ! dit Jean-Michel. Quelque chose a changé.

Au lieu de la cacophonie dont les couverts les abreuvaient depuis leur arrivée, retentissait à présent un seul bruit régulier : Crash ! Crash !

Les couverts sautaient sur le sol à l'unisson.

– C'est la petite cuiller ! s'écria Jean-Michel. C'est elle qui commande.

Randalf hocha la tête, d'un air entendu.

– C'est exactement ça, mon garçon. C'est grâce à ma double passe !

– Non, c'est autre chose. J'ai déjà vu cette petite cuiller quelque part.

– D'après mon expérience, rien ne ressemble plus à une petite cuiller qu'une autre petite cuiller, remarqua Randalf en exécutant une étrange gigue.

– Dépêchez-vous ! gémit Margot.

Elle s'était bouché les oreilles et dodelinait de la tête.

– Je n'en peux plus ! Ma tête va exploser !

– Un contre-enchantement doit être exécuté dans les règles ! répliqua Randalf.

Il baissa les bras et commença à marmonner des mots incompréhensibles.

– Vous faites n'importe quoi, là ? se renseigna Véronica.

– Véronica, tais-toi ! siffla Randalf.

Au même moment, la petite cuiller se percha sur un rocher et émit un cliquetis régulier. Immédiatement, tous les couverts s'arrêtèrent. La caverne fut plongée dans le silence. On n'entendait plus que les grincements de la balançoire de Véronica.

– J'y crois pas ! s'exclama-t-elle. Comment vous avez fait ça ?

– J'en sais rien, répondit Randalf, aussi étonné que les autres.

La petite cuiller sautilla une ou deux fois sur place et reprit le chemin qu'elle avait emprunté pour venir.

Jean-Michel, Norbert, Randalf et Margot retenaient leur souffle.

La pince à sucre fut la première à suivre. Les autres couverts lui emboîtèrent le pas, en rang et en silence. En dernier, venait le cure-dent. Tous disparurent dans le tunnel. Margot laissa échapper un long soupir de soulagement.

– Ils sont partis ! Enfin ! Je ne sais pas comment vous remercier !

Randalf se tourna vers elle.

– Moi je sais !

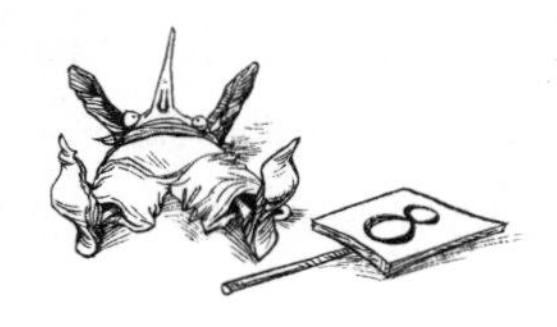

– C'est génial ! criait Jean-Michel. C'est fantastique !

Il avait déjà pris l'avion et montait régulièrement dans l'impériale des bus, mais rien ne lui avait donné autant d'excitation que voler à dos de dragon.

Resplendissant dans la nouvelle armure que Margot lui avait offerte, il était confortablement assis sur un siège rembourré entre les ailes de la dragonne. Norbert était à côté de lui, Véronica sur sa tête et Henri sur ses genoux.

– Fan-tas-tique ! répéta-t-il, extatique.

Au-dessus de lui, les trois lunes brillaient dans un ciel noir d'encre. En dessous de lui, s'étendait la contrée du Marais qui pue. Une chauve-souris à plumes, qui volait sans regarder devant elle, fut atteinte par une expiration brûlante de la dragonne.

Ils survolaient le mont Boum dont les boum étaient presque inaudibles, couverts par les battements d'ailes de Margot. Un peu plus loin, venaient les Montagnes moisies.

– Tenez bien vos couvre-chefs, prévint Margot. Ça va remuer !

Boum ! explosa le volcan.

– Yahouououou ! cria Jean-Michel.

Une fois, deux fois, trois fois, la dragonne piqua sur le mont Boum et remonta.

– Ça faisait bien longtemps que je n'avais pas dérouillé mes ailes, dit Margot, j'avais oublié à quel point c'était agréable !

Sur ces mots, elle fit un looping.

– Ouaouououh ! cria de nouveau Jean-Michel. Encore ! Encore !

– Beuargh ! fit Randalf.

Il était le seul à ne pas bénéficier d'un siège confortable. Installé sur la queue du dragon, les fesses calées entre deux écailles acérées de sa crête dorsale, il était obligé de s'agripper pour ne pas tomber.

– Pourquoi est-ce que je suis assis là ? se plaignit-il.

– Parce que vous êtes trop gros pour être devant, lui lança Margot.

– Et lui ! protesta le magicien en désignant Norbert.

– Lui, c'est mon ami, riposta la dragonne. N'est-ce pas, Norbert ?

L'ogre sourit jusqu'aux oreilles.

– C'est une honte ! grommela le magicien.

Mais le vent emporta ses mots.

– Vous avez dit quelque chose, Randalf ? demanda Jean-Michel en se tournant vers lui.

Randalf cria. Jean-Michel voyait ses lèvres bouger, mais les battements d'ailes du dragon l'empêchaient d'entendre.

– Quoi ?

Randalf répéta en vain.

– Vous comprenez ce qu'il dit ? demanda Jean-Michel aux autres.

– Qu'il est content de la balade, peut-être, suggéra Norbert en adressant un petit signe au magicien.

– Ça nous change, remarqua Véronica. D'habitude, il ronfle.

Le Lac enchanté apparut au-dessous d'eux. Il scintillait à la lumière des trois lunes. Jean-Michel constata un peu tristement :

– On est presque arrivés.

– C'est agréable d'être transporté, remarqua Norbert. Et si on refaisait le tour du mont Boum ?

– Oh oui ! s'écria Jean-Michel.

Norbert se pencha en avant.

– D'accord, Margot ?

– Tout ce que tu veux, mon ami !

Il lui suffit d'un coup d'ailes pour effectuer son demi-tour. Randalf se cramponna à la queue qui serpentait dangereusement.

– Qu'est-ce qui se passe encore ? grogna-t-il.

Mais là encore, personne ne l'entendit.

Cette fois, Margot s'approcha très près du volcan et tournoya au-dessus du cratère. Jean-Michel eut une vue magnifique sur le magma en fusion. On aurait dit les braises d'un feu mourant. Des courants chauds les enveloppaient comme des grosses couvertures. La fumée leur piquait les yeux et la gorge.

Boum !

Margot reprit son envol, repartit vers le ciel et se laissa tomber de nouveau pour s'arrêter au dernier moment juste au-dessus de la lave.

– Youhouhouhou ! crièrent Jean-Michel et Norbert.

– Ouaf ! aboya Henri.

– Beuargh ! fit de nouveau Randalf.

– Attention ! implora Véronica.

Margot était remontée et, dans l'excitation, elle ne regardait pas devant elle. Un énorme objet arrivait sur eux à toute vitesse.

– Un canard, droit devant ! hurla Véronica.

– C'est pas un canard ! répondit Margot en évitant l'objet de justesse. On dirait une armoire.

Effectivement, l'armoire battait des portes comme si c'étaient des ailes. Elle leur passa juste au-dessus de la tête.

– Une autre ! prévint Véronica.

– Laisse-moi faire ! dit Margot.

Cette fois, elle n'essaya pas d'éviter le meuble. D'un jet de flamme, elle le désintégra.

– Classe ! apprécia Jean-Michel.

– Je n'ai pas trop perdu la main, se rengorgea fièrement Margot.

– Tu vas pouvoir continuer à t'entraîner ! remarqua Véronica. Regarde !

Tous s'étranglèrent. Une douzaine d'armoires arrivaient vers eux, en formation.

« Je sais que nous sommes au Marais qui pue, pensa Jean-Michel, mais c'est quand même de plus en plus bizarre ! »

– Elles se dirigent vers le château du baron Cornu, dit Véronica.

Jean-Michel se tourna vers Randalf.

– Que se passe-t-il ?

Randalf cria, mais ses mots n'atteignirent pas les oreilles du garçon qui demanda au dragon de ralentir. D'autres armoires arrivaient. À présent, une véritable armada remplissait le ciel.

– Je disais, répéta Randalf, que nous avons d'abord vu des rideaux chantants, puis des couverts ensorcelés et maintenant des armoires volantes. Tout ça ne me semble pas de bon augure.

À ce moment, une armoire particulièrement imposante fonça droit sur la tourelle la plus haute du château du baron Cornu.

Randalf secoua la tête.

– Une puissante magie est derrière tout ça. Vous pouvez me croire ! Et comme je le dis toujours, là où il y a de la magie…

– … Il y a de l'argent, termina Véronica.

– Pas du tout ! s'indigna Randalf. Ce n'est pas ce que je dis toujours ! Et puis vous voyez tous que le château du baron est la cible d'une attaque en règle ! C'est mon devoir, en tant que magicien, de lui prêter main-forte !

– C'est fou ce que vous êtes courageux quand vous avez un dragon sous la main ! railla Véronica.

– Véronica, tais-toi ! À présent, Margot, suivez ces meubles !

– Ah oui ! Vous donnez des ordres à présent ? lança Margot d'un ton acide. Et ce que veulent les autres, vous vous en fichez ? Norbert, mon cher, que veux-tu que je fasse ?

– Je… c'est que… balbutia-t-il, hésitant entre sa loyauté envers Randalf et la sympathie qu'il éprouvait pour sa nouvelle amie, je pense que…

– Oui, Norbert ? insista Margot.

– Je crois que nous devrions nous diriger vers le château du baron Cornu, acheva Norbert.

– Parfait ! Tout ce que tu veux ! acquiesça le dragon.

– Fantastique, lâcha Randalf, vexé.

– C'est parti ! cria Margot. Et gare aux meubles qui se trouveront sur mon chemin !

Elle volait à une vitesse vertigineuse. Jean-Michel serra Henri contre lui d'une main et posa l'autre sur son casque. Véronica glissa sa tête sous son aile et enfonça ses griffes dans l'épaule de Norbert.

– Aïe ! fit l'ogre.

– Que se passe-t-il, Norbert ? demanda Margot en repliant brusquement les ailes.

C'était comme s'il avait appuyé sur le frein. Jean-Michel et Henri furent plaqués contre le cou du dragon. Randalf, projeté en avant, passa au-dessus d'eux, les yeux écarquillés.

– Au secouououououours !

– Vite, Margot ! cria Norbert. Rattrape-le !

– Tu es sûr ? hésita la dragonne.

– Oui ! s'époumona Norbert.

– Bon, d'accord, d'accord, si tu insistes...

Margot s'élança. Jean-Michel retint sa respiration.

– Au secouououououours ! continuait d'appeler Randalf.

Dans la cour du château, Benson et le héraut, accroupis sous la vasque à oiseaux, regardaient les armoires atterrir.

L'une d'elles, plus grosse que les autres, rebondit une fois, tourna sur elle-même et retomba sur ses pieds, soulevant un nuage de poussière et de sable.

– C'est bien la première fois qu'il pleut des armoires, remarqua le héraut.

Benson secoua la tête.

– C'est pas bon pour les fleurs, ça c'est sûr.

Une autre armoire s'écrasa sur les pensées.

–Quel gâchis ! déplora Benson.

Le héraut porta son doigt à ses lèvres.

–Chut ! Je crois que j'ai entendu quelque chose.

Il y eut un grincement. Une des portes de la grande armoire s'ouvrit doucement. Le héraut se serra contre Benson.

–Y a un truc dedans !

Il tremblait.

–J'ai peur !

–Je vais voir, dit Benson en essayant de se mettre debout.

–Non, non, n'y va pas ! supplia le héraut. Ne me laisse pas tout seul !

À ce moment, la seconde porte de l'armoire s'ouvrit. Le héraut prit la main de Benson et se couvrit les yeux.

–Je ne veux pas regarder, gémit-il. Qu'est-ce que c'est ?

–Eh bien…

Benson hocha la tête.

–En fait, c'est assez normal…

–Quoi ? voulut savoir le héraut. Des araignées géantes ? Des carasmouilles cornues ? Des friboulettes à grande bouche ?

–Non, juste des cintres, répondit Benson.

Effectivement, des cintres sortaient un par un des armoires.

–Des cintres ?

– Oui, acquiesça Benson. Des tas de cintres.

Le héraut écarta prudemment les doigts de devant ses yeux.

– C'est vrai ! s'étonna-t-il.

Il éclata de rire.

– T'as eu peur, hein, reconnais-le ! lança-t-il à Benson.

– Oui et encore maintenant ! Regarde !

Le jardinier désigna la tour Est. Les cintres entraient par les fenêtres.

– La baronne ne va pas apprécier. Elle ne va pas apprécier du tout.

Voyant la terre se rapprocher à toute vitesse, Randalf essayait désespérément de se rappeler un sort d'incassabilité des os.

Soudain, il entendit un bruit de tissu qui se déchire et s'aperçut qu'il ne tombait plus. Et même, il reprenait de l'altitude.

– Yesss ! s'écria triomphalement Jean-Michel.

– Hourra ! Hourra ! s'enthousiasma Norbert.

Margot avait rattrapé Randalf par le fond de son caleçon.

– J'étais sur le point de prononcer une incantation pour me rendre léger comme une plume, clama le magicien avec beaucoup de dignité. Mais merci quand même.

– Ce n'est pas moi qu'il faut remercier, mon gros, rétorqua Margot. C'est Norbert !

– Houmpf, grommela Randalf dans sa barbe.

– Je crois que j'ai mal entendu, dit Margot en balançant Randalf de gauche à droite comme si elle s'apprêtait à le laisser retomber.

– Merci Norbert, articula cette fois Randalf.

– De rien, répondit Norbert.

Il ajouta en souriant :

– Faudra que vous pensiez à faire une reprise à votre caleçon avant qu'on atterrisse au château, parce que vous risquez d'attraper un rhume.

– Oui, merci Norbert, répéta Randalf d'un ton acide.

Margot s'approchait du château. La cour était recouverte d'armoires, pour la plupart encore entières. Et d'autres continuaient d'arriver.

Jean-Michel remarqua que certaines étaient montées à la va-vite. Il manquait des vis, les pieds étaient de travers et, parfois même, les portes étaient dépareillées.

Norbert agita les bras :

– Cou-cou !

– À qui t'adresses-tu, Norbert ? demanda Randalf, qui avait repris sa place sur la queue du dragon.

– Au baron Cornu, lui répondit Jean-Michel.

Au-dessous d'eux, le baron courait dans tous les sens, comme un canard sans tête, en poussant de hauts cris.

– Fuyons ! Fuyons ! Nous sommes attaqués !

– Quelle repartie ! estima Véronica ironiquement.

Crac !

Une armoire venait de tomber à deux pas du baron, broyant la pancarte *Pelouse interdite*.

– Ouah ! il l'a échappé belle, souffla Jean-Michel.

Le baron, à genoux, tremblant, subissait à présent l'attaque en règle d'une nuée de cintres qui se jetaient sur lui comme des oiseaux en colère et rebondissaient sur son casque à cornes.

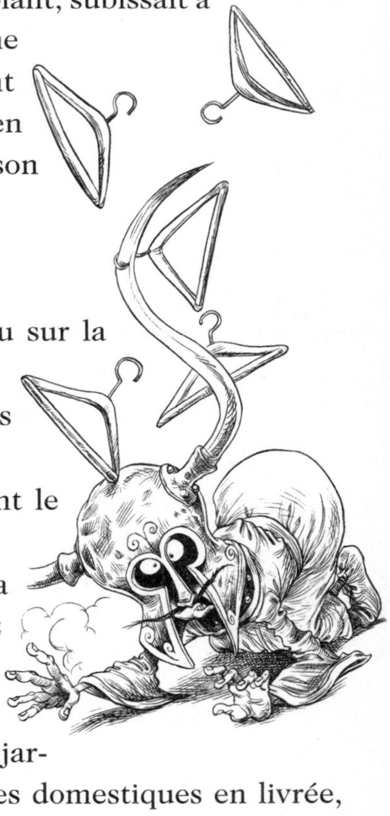

Bling, blong, bling !

– Aïe, ouille, aïe !

Un aide-jardinier, un seau sur la tête, se précipita.

– Les fleurs ! cria-t-il. Faites attention aux fleurs !

Les cintres abandonnèrent le baron pour le poursuivre.

– Allez-vous-en ! se fâcha l'aide-jardinier. Et n'abîmez pas la pelouse !

La même scène se déroulait partout dans la cour. Les jardiniers et aides-jardiniers, les domestiques en livrée, les maîtres d'hôtel... étaient attaqués de toutes parts et aucun d'entre eux ne parvenait à repousser l'invasion.

– Je suis maudit ! gémissait le baron. C'est la fin ! N'y aura-t-il aucune âme charitable pour m'aider dans ces instants ?

– Mais si, baron ! lança une voix.

Le baron leva la tête et faillit s'étrangler. Non seulement le château était bombardé par des armoires volantes et dévasté par des cintres, mais en plus, le dragon était de retour ! Pétrifié, il ne pouvait détacher son regard de l'énorme créature, ses ailes translucides, sa crête dorsale, sa queue puissante et… il se frotta les yeux…

– Randalf ? C'est vous ?

– Mais oui, baron, en personne ! À votre service ! Et quant à mes gages…

– Tout ce que vous voulez ! l'interrompit le baron. Tout ce que vous voulez mais faites quelque chose !

– Cent garmous d'or !

Le baron Cornu se lissa une moustache.

– Cinquante ! lança-t-il.

– Quatre-vingt-dix.

– Soixante-dix et c'est ma dernière offre ! dit le baron.

– Walter ! cria Ingrid.

– Quatre-vingts ! rétorqua Randalf, profitant de son avantage.

– Quatre-vingts, d'accord, accepta le baron, mais pas un garmou de plus ! Eh, attention !

Une armoire montée de guingois, apparue de nulle part, se dirigeait droit sur Margot.

– Meuble à bâbord ! prévint Véronica.

D'un coup de queue bien placé, Margot envoya valser l'armoire qui se fracassa contre la porte du château. Une nouvelle volée de cintres en sortit. Ils se jetèrent sur la dragonne.

Margot sourit avant de les griller. Ils tombèrent en cendres.

Le baron applaudit des deux mains.

– Bravo ! Bravo ! Et maintenant, occupez-vous des autres !

– Quatre-vingts garous, répéta Randalf.

– Oui, oui ! acquiesça le baron, agacé, en se penchant pour éviter une armoire qui s'apprêtait à se poser. Faites votre boulot, maintenant !

– Va te poser sur ce mur, Margot, demanda Randalf. Enfin, si tu es d'accord, Norbert, se reprit-il.

– Oui, oui, maître, c'est une excellente idée.

– Merci, dit Randalf. Je... ouah...

Margot ne lui laissa pas le temps de finir sa phrase. Elle traversa élégamment la cour, détruisant au passage quelques cintres et quelques armoires, et se posa gracieusement tout en haut de la haute muraille du château.

Puis elle poussa un rugissement.

Jean-Michel sauta à terre, imité par Henri qui aboyait et agitait frénétiquement la queue. Il brandit son épée. Norbert le rejoignit et s'empara du piquet d'un stand qu'il fit tournoyer au-dessus de sa tête. Randalf, enfin, prit place à leur côté et leva les bras. Véronica était perchée sur son épaule.

–Que la bataille commence, gronda le magicien. Norbert, à toi l'honneur, mon camarade !

Norbert fit un pas en avant et frappa de toutes ses forces une armoire qui passait près de lui. Elle vola en éclats.

–Bricolage d'amateur, observa Randalf en ramassant une vis, tombée à ses pieds.

Margot décolla et se plaça au-dessus de Norbert pour le protéger. L'ogre partit à la rescousse des deux domestiques réfugiés sous la vasque à oiseaux. Il les débarrassa des cintres qui les cernaient.

Benson et le héraut se relevèrent et dressèrent les poings vers les cintres en fuite.

–Et n'y revenez pas, ou vous aurez affaire à nous ! crièrent-ils.

–Attention, attention ! pépia Véronica. Nouvelle attaque à tribord !

–Au secours, hurlèrent Benson et le héraut en retournant se réfugier sous la vasque.

–Trouillards ! lâcha Randalf, caché derrière Norbert.

L'ogre se dirigea sans hésiter vers les meubles qui arrivaient sur eux – deux placards boiteux et une grosse commode.

–Norbert ! appela Randalf. Reviens !

–Trois armoires et un buffet en vue ! continuait à prévenir Véronica.

Randalf courut à la suite de Norbert. Jean-Michel suivait en agitant son épée pour se débarrasser des cintres qui l'assaillaient.

–Norbert ! Norbert ! Reste là ! Tu dois me protéger ! appelait Randalf.

Au-dessus d'eux, Margot rugissait :

–Prenez ça !

Sa queue balaya deux armoires ornées de nounours mal dessinés. L'une d'elles éclata, laissant échapper des couvertures d'enfant qui se plaquèrent sur les yeux de Margot et s'enroulèrent autour de son cou.

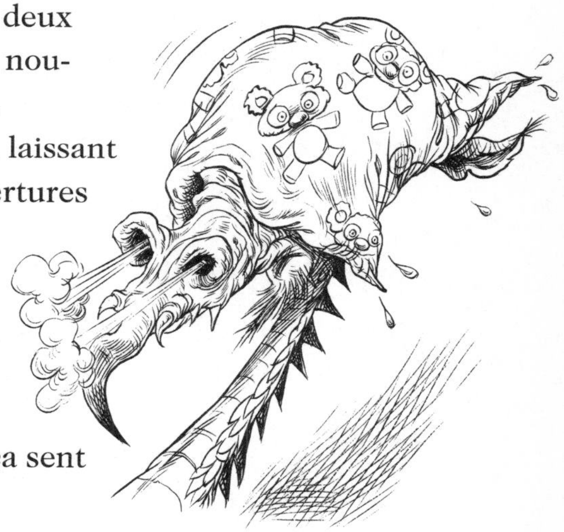

–Argh ! Eurgh ! ça sent le pipi !

–Encore trois tables de chevet et deux étagères, annonça Véronica.

Tous les meubles éclatèrent en atterrissant : d'agressifs oreillers en sortirent, prêts à la bagarre.

–Argh ! Ouille ! Ouch !

Les oreillers s'étaient rués sur Randalf, le cognant à l'estomac et sur la tête.

–Norbert ! Au secours ! Norbert !

–Mffflll, bllffflll !

Margot, essayant de se débarrasser des couvertures qui l'aveuglaient et l'étranglaient, tomba violemment sur le sol, près de Jean-Michel.

Le garçon ne savait plus où donner de la tête. Les cris de douleur jaillissaient de toutes parts, des meubles continuaient à tomber, des culottes, des corsets, des paires de chaussettes en boule se joignaient à la bagarre.

– Deux armoires et un piano sur la gauche !

Véronica continuait à jouer les vigies.

Jean-Michel se jeta au secours de Margot. D'un coup d'épée, il déchira les couvertures qui l'emprisonnaient.

– Merci, mon garçon, soupira-t-elle, enfin libérée. Cette literie sentait encore plus mauvais que le pot de Thrynne !

– Super-guerrier, à votre service, sourit Jean-Michel.

– Tu es un amour ! lança Margot en reprenant son vol.

D'un souffle, elle carbonisa le piano.

– Quatre armoires et… argh !

Une volée de tasses et de soucoupes avait fondu sur Véronica.

– Margot ! hurla-t-elle. Occupe-toi de ce vaisselier, s'il te plaîîîît !

Jean-Michel rejoignit Norbert qui aidait Randalf. Le magicien était en train de perdre contre deux traversins de satin rose.

– Aidez-moi, suppliait-il, pendant que les traversins s'acharnaient sur lui.

– Prends ça ! rugit Jean-Michel en embrochant le premier traversin.

Il y eut une explosion de plumes.

– Et ça ! et ça ! continua-t-il en transperçant l'autre.

On se serait cru en pleine tempête de neige, il y avait tant de plumes que l'on n'y voyait pas à deux mètres. Un énorme coussin en forme de cœur s'aplatit sur le casque de Jean-Michel. Le casque trop grand s'enfonça sur ses oreilles et ses yeux.

Jean-Michel se trouva plongé dans l'obscurité. Les bruits de bagarre autour de lui étaient de plus en plus violents. Des armoires qui s'écrasaient, des rugissements de douleur et de triomphe, et le souffle puissant du dragon qui brûlait tous les ennemis qui passaient à sa portée.

Jean-Michel essaya d'enlever son casque. Il avait mal partout, sa tête était compressée comme dans un étau, les plumes lui chatouillaient le nez. Les bras en avant, il avança et trébucha sur un épais matelas.

– Randalf ! appela-t-il. Norbert ! Véronica ! Où êtes-vous ?

Il tendit l'oreille, mais n'obtint aucune réponse. Il baissa son épée. Avaient-ils perdu ?

Une armoire s'écrasa encore au sol, puis plus rien. Le silence total.

Jean-Michel trembla. Tout était calme à présent. Jean-Michel saisit les ailes de son casque et tira dessus de toutes ses forces.

Pop !

Clignant des yeux, au milieu de la tempête de plumes, Jean-Michel regarda autour de lui.

– Ouaf !

– Henri ! cria Jean-Michel. Viens, mon garçon.

Henri bondit sur les genoux de son maître et lui lécha abondamment le visage. Jean-Michel s'accroupit et le caressa.

– Bon chien, je suis si content que tu t'en sois sorti. Mais où sont les autres ? Eh ! Où êtes-vous tous passés ?

– Je ne peux parler qu'en mon nom, répondit la voix de Randalf, mais je suis ici.

– Et moi là, dit Norbert.

– Où ? demanda Randalf.

– Ben, je sais pas, avoua l'ogre. Mais en tout cas, je suis là. Et Véronica est avec moi. Elle peut vous le confirmer.

– Quelle précision, marmonna la perruche.

D'autres voix s'élevèrent dans la cour. Les plumes retombaient doucement et Jean-Michel commençait à distinguer des silhouettes.

Norbert était assis sur des débris d'armoire. Véronica était bien perchée sur son épaule.

Benson et l'aide-jardinier, qui avait gardé son seau sur la tête, émergèrent de derrière une table couchée. Ils secouèrent la tête tristement en apercevant les pots de fleurs brisés.

Randalf, quant à lui, examinait ce qui ressemblait à un caleçon à dentelle. Lorsqu'il s'aperçut que Jean-Michel le regardait, il devint rouge comme une tomate.

– J'en ai besoin d'un neuf, marmonna-t-il. Margot a abîmé le mien.

– Vous êtes encore pire que Roger le Plissé, commenta Véronica.

Jean-Michel bomba le torse.

– Nous avons gagné la bataille, dit-il fièrement.

– Eh oui, approuva Randalf en bouchonnant le caleçon avant de le glisser dans sa poche. Grâce à ma stratégie magistrale.

– Ouais. Vous aviez surtout une trouille de tous les diables, rectifia Véronica. « Norbert, Norbert ! au secours ! au secours ! »

– Véronica, tais-toi ! grogna le magicien.

– Où est Margot ? demanda Norbert.

– Je suis là, cher ami.

Ils levèrent les yeux. La dragonne était perchée tout en haut du haut portail du château et s'examinait nonchalamment les ongles.

– Margot, tu as été fantastique ! lança Norbert. Nous n'aurions rien pu faire sans toi !

– Je te devais bien ça, mon cher. Sans toi, ma caverne ressemblerait encore à un dépotoir. À ce propos, soupira-t-elle, je dois absolument repartir. Ah ! un tel trésor est aussi une contrainte !

– En parlant de trésor, marmonna Randalf, j'ai quatre-vingts garmous à encaisser, moi.

Il chercha le baron du regard.

Margot se dressa sur ses pattes arrière, claqua des ailes et s'envola vers la lumière rose du petit matin.

– Au revoir ! cria-t-elle. C'était un plaisir de vous rencontrer, Jean-Michel, Henri, Véronica et surtout toi, mon ami Norbert. Même le gros va me manquer ! Ne m'oublie pas, Norbert ! On garde le contact.

– Oui, bien sûr, répondit l'ogre en agitant la main.

– À dans une vingtaine d'années, lança encore Margot.

Norbert essuya une larme sur sa joue.

– Au revoir Margot, murmura-t-il.

Jean-Michel regarda la dragonne s'éloigner.

Randalf soupira.

– Vous avez entendu, elle a dit que même moi, j'allais lui manquer. Aaahhh ! Randalf le Sage, dompteur de dragon !

– Ouais, ricana Véronica, moi je l'ai entendue vous appeler « le gros ».

– Véronica, tais-toi ! Oh ! regardez, le voilà.

Il avait aperçu le baron Cornu. Il mit ses mains en porte-voix :

– Baron Cornu ! Oh ! Baron Cornu !

Le baron frôlait les murs d'enceinte de son château. Son casque était en encore plus mauvais état que celui de Jean-Michel ; les cornes étaient tout de travers.

– Baron Cornu, répéta Randalf. Messire !

Le baron s'arrêta.

– Quelqu'un me demande ?

Randalf trottina vers lui, marchant dans les plumes et les débris de meubles.

– C'est moi, messire, Randalf le Sage, pourvoyeur de super-guerrier et de dragon d'urgence !

Le magicien souriait jusqu'aux oreilles.

– Nous nous étions mis d'accord sur quatre-vingts garmous, n'est-ce pas ?

– Tout à fait, tout à fait. Envoyez-moi la facture. Vous acceptez les chèques, bien sûr ?

– Uniquement du liquide, messire, répondit Randalf en tendant la main. Et payable immédiatement.

– Je n'ai jamais autant d'argent sur moi, grommela le baron en tapotant ses poches. Je suis désolé.

– Mais… mais… fulmina Randalf.

Le baron Cornu sourit et posa une main sur l'épaule du magicien.

– Assez parlé de problèmes matériels ! Il est temps de fêter cette victoire. Trois hourras pour Randalf le Sage !

Benson et deux jardiniers applaudirent faiblement.

– Parfait ! s'exclama le baron, satisfait. Qu'est-ce que vous attendez maintenant ?

Les aides-jardiniers se regardèrent avant de se tourner vers le baron, sourcils froncés.

– Eh bien, continua le baron. Qu'est-ce que vous attendez pour remettre de l'ordre dans cette cour ? Dépêchez-vous ou Ingrid ne sera pas contente !

À cet instant, une détonation retentit dans l'autre partie du château. Tous levèrent les yeux. Une armoire s'envolait. Elle emportait une silhouette massive vêtue d'une robe bleue.

– Walter ! Walter !

– Une reconnaissance de dette ! tempêtait Randalf. Une malheureuse reconnaissance de dette qui ne vaut même pas le caleçon à dentelle sur lequel elle est écrite.

Les quatre compagnons étaient retournés sur leur bateau.

– Je me suis fait avoir, il m'a poignardé dans le dos, continua-t-il. Que ce soit une leçon pour toi, Jean-Michel, mon garçon : ne fais jamais confiance à un baron, si cornu soit-il !

– C'est toujours mieux que rien, une reconnaissance de dette, essayait de le calmer Jean-Michel. Vous avez toujours sa signature, elle doit bien avoir une petite valeur.

Randalf rougit.

– Montrez-lui votre caleçon, dit Véronica, allez, montrez-lui !

Randalf tendit le sous-vêtement à Jean-Michel qui lut : *Je vous dois 80 garmous d'or. Signé le grand duc d'York*.

– Je suis trop naïf, se lamenta Randalf. Il s'est moqué de moi ! Après tout ce que j'ai fait pour lui.

– Après tout ce que Margot a fait pour lui, corrigea Véronica. Elle s'est montrée si aimable et si gentille ! Et d'une générosité ! Elle nous a offert de magnifiques présents : des moules à gâteaux pour Norbert, une armure pour Jean-Michel et une superbe cage pour moi.

Véronica fit tinter sa clochette et se regarda dans le miroir.

– Maintenant, j'ai mon petit chez-moi, soupira-t-elle. Et vous, Randalf, que vous a-t-elle donné ?

Randalf donna un coup de pied dans le pot de chambre de Thrynne.

– Ouille ! se plaignit-il.

– Ce pot est superbe, commenta Véronica. Et il va très bien avec votre caleçon !

– Véronica, tais-toi !

Dans la cuisine, Norbert sifflotait. Randalf soupira.

– Bon, ça aurait pu être pire. Norbert est content, toi, Jean-Michel, tu as une allure magnifique dans cette armure… mais dis-moi, les ailes de ce casque ne sont-elles pas un peu bizarres ?

Jean-Michel sourit et haussa les épaules.

– En tout cas, ça me fera un souvenir quand je serai rentré chez moi. D'ailleurs, quand est-ce que vous…

– Je m'en occupe dès que possible, affirma Randalf.

Il semblait soudain trouver les détails de dorure du pot de Thrynne très intéressants.

– Mais quand ? insista Jean-Michel. Est-ce que je n'en ai pas encore assez fait ?

Randalf passa un doigt sur une arabesque gravée dans l'argent.

– Quel magnifique travail artisanal…

– Quand ? répéta Jean-Michel.

Randalf renifla le pot prudemment.

– Il va falloir que je me refasse un shampooing…

– Randalf !

Jean-Michel avait élevé la voix.

– Quand allez-vous me renvoyer à la maison ?

Le magicien leva la tête et haussa un sourcil.

– Tu sais ce que c'est, commença-t-il. Il faut attendre le meilleur moment. L'alignement des étoiles, la configuration des lunes…

– Non ! se fâcha Jean-Michel. Vous savez que c'est faux ! La vérité, c'est que vous ne connaissez pas le sort qui me permettra de rentrer chez moi ! Nous devons aller au bois des Elfes et récupérer le Grand Grimoire de Roger le Plissé !

– Il a raison, approuva Véronica. Même si nous tombons sur le doc...

– Véronica, tais-toi ! Ne prononce jamais ce nom en ma présence !

– En plus, continua Véronica en se balançant sur son perchoir, si vous voulez avoir une chance d'obtenir vos quatre-vingts garmous d'or, vous n'avez pas le choix ! Faudra bien y aller.

– Tu crois ? s'enquit Randalf.

– Où croyez-vous que l'armoire qui a enlevé Ingrid l'a emmenée ?

– Ben... euh... grogna Randalf.

– Celui dont vous ne voulez pas qu'on prononce le nom détient le Grand Grimoire, poursuivit Véronica. Il retient prisonniers Roger le Plissé et les autres magiciens de la contrée. Il vient d'ajouter Ingrid à sa collection. Tout ça fait partie de son plan machiavélique.

– Nous n'avons pas le choix, affirma Jean-Michel. Nous devons nous rendre à la Clairière glousante.

– Vous devriez emporter le pot de Thrynne, Randalf, observa Véronica. Vu la tête que vous faites, vous allez en avoir besoin.

Une armoire solitaire était étendue à même le chemin devant la maison de la Clairière gloussante. Une de ses portes était ouverte. Une pile de cintres gisait dans un coin. Le docteur Câlinou observait la scène depuis sa fenêtre.

– Tu as été fantastique, ma belle armoire à monter soi-même, magnifique ! gloussa-t-il.

Il tourna les talons et disparut dans l'ombre. Quentin hocha vigoureusement la tête.

– C'est moi qui ai fait le montage de celle-ci, dit-il.

– Excellent, ricana le docteur Câlinou. Même si nous avons subi de lourdes pertes.

– Je vous avais prévenu, intervint Roger le Plissé. Nous n'avons pas eu assez de temps. Et quelqu'un a envoyé par erreur votre commode personnelle et tous vos draps.

– Nous devons faire des sacrifices, soupira le docteur Câlinou.

Un léger tremblement était perceptible dans sa voix.

– Je n'ai pas eu le baron Cornu, ajouta-t-il. Mais ma prise est belle !

– Oh, docteur, vous êtes si sournois ! dit Quentin, admiratif.

– Oh oui ! acquiesça le docteur. Et maintenant, nous allons savoir jusqu'où ira le baron pour récupérer sa bien-aimée. Va-t-il frapper à ma porte et me supplier ? Si c'est le cas…

Il éclata d'un gloussement sinistre.

– Câlinou ! hulula une voix stridente. Câlinou !

Le gloussement s'arrêta net.

– Qu'est-ce que cette horrible femme veut encore ? marmonna le docteur Câlinou. Elle ne s'est quand même pas encore une fois débarrassée de ses liens !

Il frappa dans ses mains mais rien ne se produisit.

– Où sont les elfes ? cria-t-il.

– Câlinou ! hurla de nouveau Ingrid.

Le docteur frissonna.

– Roger ! Quentin ! Revenez ici, tout de suite !

– Câlinou ! Au pied !

– Aaah, ça c'est la belle vie, soupira le baron Cornu.

Il était allongé sur un énorme pouf, devant un feu de cheminée, les doigts de pied au chaud sous une couverture décorée de nounours. Il avait tiré les rideaux, les bougies étaient allumées.

Il but une gorgée de chocolat chaud aux crachats et prit un caramel dans la boîte posée sur ses genoux. Ingrid avait été enlevée depuis quelques heures maintenant. Il prit un deuxième caramel et le jeta dans sa bouche. Pauvre chère Ingrid.

Toc toc.

Le baron leva la tête.

–Entrez !

La porte s'ouvrit et Benson passa la tête dans l'entrebâillement.

–Mauvaise nouvelle, messire. Nous n'avons toujours pas de nouvelles de la baronne.

–C'est terrible, soupira le baron. Vraiment terrible !

Il porta sa tasse à ses lèvres.

–Hmm, ce chocolat est délicieux. Tiens, Benson, avant de partir, pourriez-vous remettre un morceau de bois dans la cheminée ? Ce serait vraiment gentil.

Le jardinier referma la porte derrière lui. Le baron se cala dans son pouf et ferma les yeux.

–Ah, il faut vraiment que je trouve un moyen de sauver Ingrid, bâilla-t-il. Un de ces jours…

Les couverts, épuisés, se regroupèrent sous un panneau qui indiquait : *Nulle part*.

Le soleil se couchait.

Ils avaient tant marché. Une douce brise soufflait et les trois lunes du Marais qui pue étaient levées ; la petite cuiller restait à part. Elle semblait écouter un son qu'elle était la seule à percevoir. Un son lointain. Un appel...

Elle poussa un léger soupir. Le voyage avait été long mais ils étaient sur le bon chemin.

Cling cling, fit-elle en sautillant sur les graviers du chemin. Cling clang clong, firent les couteaux, les fourchettes et les autres couverts en la suivant. Ils marchèrent toute la nuit et au petit matin, se trouvèrent en vue du bois des Elfes.

La petite cuiller trembla d'excitation.

Bientôt, très bientôt...

– Câlinou ! croassa une voix rauque. Je ne vous le répéterai pas ! Je veux que vous me remplissiez ma bouillotte et tout de suite !

Le docteur Câlinou laissa échapper un petit gloussement de malaise.

– Câlinou !

– Vous me parlez, ma petite tourterelle en cage ? répondit-il.

Il jeta un coup d'œil par la fenêtre. Personne. Il soupira.

– Si ça se trouve, vous ne lui manquez pas tant que ça au baron…

– Il ne peut pas vivre sans moi, protesta Ingrid de sa voix de crécelle. Et quand il découvrira ce que vous me faites subir, il vous cassera la figure ! Et maintenant, ma bouillotte et tout de suite !

Le docteur Câlinou secoua la tête. Ses yeux se rétrécirent.

– Baron Cornu, marmonna-t-il. Tu vas me payer ça. Tu vas me le payer très cher !

# Fin du deuxième épisode

Les sombres desseins du docteur Câlinou vont-ils se réaliser ? Le baron Cornu et Ingrid parviendront-ils à se réconcilier ? Jean-Michel réussira-t-il à sauver le Marais qui pue ? Finira-t-il par rentrer chez lui ?
Découvre la suite des histoires délirantes du Marais qui pue dans *L'Abominable docteur Câlinou* (épisode 3).

# Dans la même série

**Chroniques du Marais qui pue**
**Épisode 1**
**La Chasse à l'ogre**

Jean-Michel Chanourdi n'aurait jamais dû aller promener son chien, jamais dû s'approcher de ce buisson… Car Randalf le Sage, apprenti magicien, l'a piégé. Désormais, Jean-Michel sera Jean-Mi le Barbare, un super-guerrier. Sa mission : terrasser Engelbert le Gigantesque, l'ogre le plus terrible de tout le Marais qui pue. Ça va faire mal. Très mal…

**Chroniques du Marais qui pue**
**Épisode 2**
**La Grotte du dragon**

Il se passe des choses étranges au Marais qui pue. Des armées de petites cuillers s'entraînent au combat, des escadrons d'armoires volantes sèment la terreur, et les dragons, d'ordinaire si paisibles, kidnappent les magiciens… Jean-Michel et ses amis n'ont aucun doute : c'est l'œuvre du terrible, de l'horrible, de l'indéfectible docteur Câlinou…

**Chroniques du Marais qui pue**
**Épisode 3**
**L'Abominable docteur Câlinou**

Cette fois-ci, Jean-Michel Chanourdi est bien décidé à rentrer chez lui, dans le monde normal (sans ogre, ni dragon, ni grenouille péteuse). Seul problème : il lui faut d'abord récupérer le Grand Grimoire, volé par le terrible, l'horrible, l'indéfectible docteur Câlinou... Et ce n'est pas gagné d'avance...

# Des mêmes auteurs

**Chroniques du bout du monde**
**Tome 1**
**Par-delà les Grands Bois**

Lieu de ténèbres et de mystère, les Grands Bois offrent un asile rude et périlleux à ceux qui les habitent. Et ils sont nombreux : trolls des bois, égorgeurs, gobelins de brassin, troglos… C'est là que vit Spic, du clan des trolls des bois. Il est troll et pourtant…
Trop grand, trop maigre, il est différent. Tellement différent qu'il doit fuir, par-delà les Grands Bois. Mais surtout, surtout, sans jamais sortir du sentier. Jamais…

**Chroniques du bout du monde**
**Tome 2**
**Le chasseur de tempête**

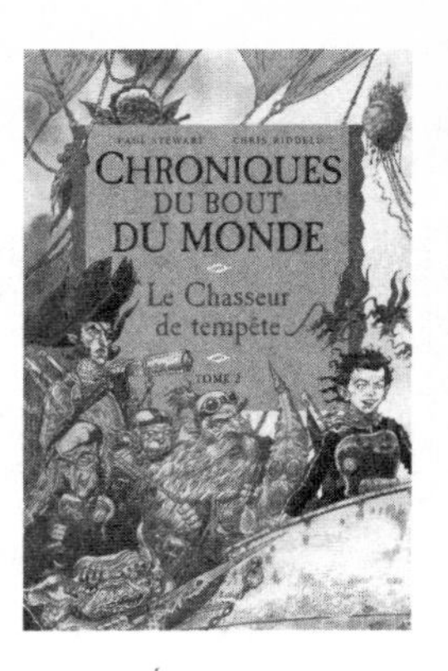


Ville de mystères et de danger, Sanctaphrax peut tout offrir au visiteur : argent, bonheur, pouvoir, mort... Spic, nouvellement enrôlé dans l'équipage du Chasseur de tempête, est envoûté par la cité flottante. Mais Sanctaphrax est en danger... Sa survie dépend du phrax de tempête, une substance qui maintient son équilibre. Sans lui, la ville briserait ses amarres, et s'envolerait dans le ciel à tout jamais...
Or le phrax ne peut être récolté qu'au cœur même de la Grande Tempête, à l'instant où elle est la plus violente. Un seul navire est capable d'affronter une telle violence : Le Chasseur de tempête...

**Chroniques du bout du monde**
**Tome 3**
**Minuit sur Sanctaphrax**

Loin, très loin dans le ciel infini, un redoutable danger menace : c'est la Mère Tempête. Celle qui détruit tout sur son passage. Celle par qui tout meurt et tout renaît. Sanctaphrax se trouve sur son chemin, mais personne ne le sait. Seul Spic pourrait éviter le désastre.
Avec son nouvel équipage, le jeune pirate du ciel s'est aventuré bien au-delà du bout du monde. Il a découvert ce qui se prépare. Mais lors de son voyage, il est projeté au cœur du Jardin de pierres. Et Spic perd la mémoire…

**Chroniques du bout du monde**
**Tome 4**
**Le dernier des pirates du ciel**

Maladie de la pierre.
Quatre mots qui ont tout changé. Tout : la cité volante de Sanctaphrax ne flotte plus, les bateaux de la Ligue sont cloués au sol, les pirates du ciel ont disparu à jamais... Comble de malheur, une lutte à mort a placé l'usurpateur Vox Verlix au pouvoir. Les érudits, qui régnaient jadis en maîtres, sont désormais condamnés à vivre clandestinement, dans la fange des égouts d'Infraville.
C'est là, au cœur d'un dédale de salles souterraines, que vit Rémiz, un jeune sous-bibliothécaire de 13 ans. Orphelin, il ne sait rien de sa naissance. Il ne sait rien non plus de l'intérêt que les érudits lui portent. Et surtout, il ne sait rien du destin qui l'attend...

**Chronique du bout du monde**
**Tome 5**
**Vox le Terrible**

Vox Verlix. Dignitaire suprême de Sanctaphrax. Un tyran. Mais un tyran de papier, qui vit reclus dans un palais délabré. Un obèse alcoolique qui, dans ses moments de lucidité, élabore des plans de vengeance. Contre les pies- grièches qui règnent sur le Bourbier, les gobelins qui ont asservi Infraville, les gardiens de la nuit toujours aux aguets du haut de leur tour. Des plans découverts par Rémiz, le jeune chevalier bibliothécaire. Un Rémiz glacé d'effroi : car les projets de Vox pourraient bien détruire toute la Falaise.

Achevé d'imprimer en France par Aubin.
Dépôt légal : 4e trimestre 2005
N° d'impression : L 69459